Visor Literatura y Debate Crítico

Interpretación y diferencia

ALBERTO MOREIRAS

INTERPRETACIÓN
Y DIFERENCIA

Literatura y Debate Crítico - 12

Colección dirigida
por Carlos Piera
y Roberta Quance

Diseño gráfico: Alberto Corazón

© Alberto Moreiras, 1991
© De la presente edición
Visor Distribuciones, S. A., 1991
Tomás Bretón, 55
28045 Madrid

ISBN: 84-7774-712-1
Depósito Legal: M. 23.495-1992
Composición: Visor Fotocomposición
Impreso en España - *Printed in Spain*
Gráficas Rógar, S. A.
Fuenlabrada (Madrid)

a Teresa

In all the obvious diversity among species, there is only one diversity which really matters, and that is the difference between the sexes, because it makes this fertile reproduction possible.

(McMahon 31)

P

las páginas que siguen sean sólo la consecuencia, o mejor, el
[...]ismo de reflexión sobre algunas tesis de Nietzsche expuestas en
El [...]nto de la tragedia. Muchas veces se habla hoy de teoría literaria
[...] suficientemente en la problematicidad de la mezcla de conceptos
[...]ca. Pero es posible que la presentación breve de cierto recado
[...]no pueda abrir esa problemática desde un ángulo apropiado y
[...]aso indicar la región de incidencia de este ensayo.
[...]do es: «Debemos entrar al medio de esas luchas que... se están
[...]n las esferas más altas de nuestro mundo contemporáneo entre
[...]le conocimiento optimista y la necesidad trágica del arte»
(*G[...]*6). El conocimiento optimista es para Nietzsche la racionalidad
[...]ugurada por el socratismo, que no reconoce límites a la inte-
[...]de la existencia, y que por lo tanto postula un esquematismo
[...]e todo es subsumible. La teoría literaria es, ciertamente, en
[...]empo, uno de los campos de batalla donde el esquematismo
[...]onerse. Para la teoría literaria la trágica necesidad de arte actúa
[...]pulsión. El deseo que lleva a la teoría literaria es trágico en
[...]ar porque es un deseo de conocimiento de lo que siempre
[...]á ausente, con una ausencia no neutra sino que incesantemente
[...]r vencida. El conocimiento positivo, optimista, no puede
[...]arte a la presencia: cualquiera que sea su reino de manifestación,
[...]e ajusta a categorías. Pero si la literatura es aún para nosotros
[...]te y de expresión artística, ¿cuál es el sentido de la teoría
[...]

[...]e habla de un Sócrates-artista, «Sócrates que hace música»,
[...]ura historial que viene a sustituir al artista trágico, apolíneo-
[...]. La muerte de Dionisos es la condición vital de la existencia de
[...] antidionisíaco por excelencia. Pero antidionisíaco no es sin
[...]ista. Nietzsche cita los diálogos platónicos como la forma
[...]e arte, gracias a la cual el socratismo estético no puede «ser
[...] como una fuerza meramente negativa, desintegradora» (99).
[...]s platónicos son para Nietzsche el germen o el modelo de

[...] nueva forma de arte..., la *novela,* que puede ser descrita como una
[...] la esópica infinitamente potenciada, en la que la poesía detenta el
[...]no rango en relación con la filosofía dialéctica que esta misma
[...]ofía detentó durante muchos siglos en relación con la teología: es

11

decir, el rango de *ancilla*. Esta fue la nueva posición a la que Platón, bajo la presión del Sócrates demoníaco, forzó a la poesía.

Lo teórico, por oposición a lo trágico, se expresa artísticamente en la novela —y basta aquí considerar «novela» todo texto de ficción literaria cuyo designio sea también aumentar el conocimiento positivo del mundo. La novela es la música de Sócrates. Si el arte es en general un desvelamiento del mundo, si da alguna forma de verdad, la verdad que el teórico descubre en la novela tiene la misma esencia que la verdad teórico-científica, la verdad optimista, basada en la «fe en que el pensamiento, usando el hilo de la causalidad, puede penetrar los más profundos abismos del ser, y en que el pensamiento es capaz, no sólo de conocer el ser, sino incluso de *corregirlo*» (102).

Pero esta verdad optimista y progresiva, expresándose por medio del recurso poético, lleva en sí la necesidad trágica de su propio quebrantamiento: Dionisos resucita, transfigurado. Es en lo que queda cubierto y oscuro más allá de todo descubrimiento y averiguación optimista donde el proyecto teórico, «oculto en la esencia de la lógica, sufre naufragio» (105). Nietzsche habla de unos «puntos fronterizos», *Grenzpunkte,* desde los que el teórico contempla lo que desafía toda iluminación. Enfrentado a su límite, el socratismo estético se quiebra en una nueva intuición trágica que, «meramente para ser soportada, necesita el arte como protección y remedio» (105). En el extremo final el socratismo estético retorna al arte de Dionisos, pero el retorno es de momento sólo retorno hacia su necesidad.

Quizás la teoría literaria sea la bisagra y el lugar de articulación de tal retorno. Que históricamente comience a desarrollarse en el momento en que el naturalismo novelístico hace crisis es un hecho sin duda relevante, pero que no necesita énfasis. La teoría literaria se constituye en el formalismo como el esfuerzo por definir, o descifrar, la «literariedad» del hecho literario. Abriga así el silencio desolador de Dionisos: hasta tal punto el arte literario ha dejado de transmitir conocimiento positivo que éste ha de ser buscado en la positividad misma de la literatura, penúltimo *Grenzpunkt* tras del cual sólo hay reconocimiento trágico de la destitución. La destitución llama a la necesidad del arte. La teoría literaria es el punto en la frontera de la empresa literaria condicionada por el socratismo desde el cual debe mirarse hacia un abismo que no se contenta con estar, sino que reclama y succiona. Pero ese abismo es quizá el lugar incógnito de la regeneración de Dionisos-Zagreos. Nietzsche anunció, algo precipitadamente, el renacimiento del arte dionisíaco en la obra de Wagner. Sin precipitarse, puede quedar algún tiempo para mirar desde su límite el precipicio; para aguardar el nuevo surgimiento del viejo dios o para escuchar el eco de su silencio.

La teoría literaria, así pensada, ha abandonado ya la dedicación a la literariedad de la literatura. Tiene una tarea más urgente, de carácter

pre[...]o, que consiste en el desmantelamiento de la pretensión
his[...]ctuante en la «novela» como arte socrático, según la definición
de [...]che. La novela se ha arrogado la función de arte teórico
me[...]a voluntad de ancilarización de la poesía a propósitos de
car[...]scriptivo. Pero novela es aquí sinónimo de literatura en la edad
soc[...]ue es también descrita como edad de la filosofía dialéctica, es
dec[...]de la metafísica. La metafísica ancilariza la poesía. Pero de que
la n[...]a quiebra en la intuición trágica que reconoce su destitución y
recl[...]oesía como necesidad debe concluirse que la poesía nunca fue
anci[...]oesía vive en la era metafísica bajo la forma de resistencia a la
anci[...]n, resistencia a la teoría. La copertenencia de poesía y teoría
en [...]eórica es tal que no se da más que en tensión de mutua
resis[...]Y esa resistencia anuncia la insobornabilidad de su diferencia.

H[...]er la diferencia esencial entre poesía y pensamiento teórico
equi[...]econocer la disparidad de sus caminos. La teoría literaria, en
cuan[...]plina abocada a practicarse en el vacío de una diferencia, tiene
el es[...]paradójico apuntado por Paul de Man: «el principal interés
teóri[...]la teoría literaria es la imposibilidad de su definición»
(«Re[...] 3); la teoría literaria es «la teoría universal de la imposibilidad
de la[...]. Nada puede vencer la resistencia a la teoría puesto que la
teorí[...]misma esta resistencia» (19). Sólo una teoría concebida como
resist[...]la teoría puede pensar teóricamente la poesía como la misma
resist[...]Pensar teoría literaria es pensar la poesía desde el punto
front[...]nde el pensar teórico piensa su propia disolución. Y eso es lo
que [...]ayo pretende hacer, sin perjuicio de querer ejercer hasta el
límite[...]posibilidades la prerrogativa todavía necesaria, y eficaz, del
proye[...]rático: buscar la inteligibilidad, en sí dudosa, también de lo
que d[...]inteligibilidad.

D[...]zá explicar por qué mi ensayo se centra y se descentra en
torno[...]temas de interpretación y diferencia; es decir, por qué
interp[...]y diferencia se escogen como los motivos que pueden llevar
con n[...]ivida a la región de conflicto entre pensamiento y poesía,
pensar[...]tizar, y así a la región de la teoría. Conviene recordar la
funció[...]dora de la interpretación, que Gadamer reconocerá afirmando
que la[...]interpretativa es un «entre» (*Wahrheit* 279). La interpretación
está e[...]tre: es un entre-estar, una interestancia entre límites, de
límites[...]límites apartan, pero sólo desde el lugar fronterizo que hace
en sí[...]idad del límite. El límite, en el que está la interestancia
interp[...]es a la vez la traza de la identidad y de la diferencia de las
region[...]elimita. Por eso un ensayo sobre la frontera de la poesía y
el pens[...]tematizarse como ensayo de interpretación y diferencia.

Lo[...]gue marca, o literalmente, capitula, tres regiones de la
diferen[...]cartografía diferencial tiene por supuesto también un
límite,[...]o que el reconocimiento del límite sea en todo caso una de

las consecuencias de lo escrito: cuatro capítulos sobre diferencia textual, diferencia interpretativa y diferencia discursiva. Pero la relación, y sobre todo toda gradación entre esas diferencias, debe permanecer en equilibrio tenso y siempre meramente provisional. Obviamente, no puede darse reconocimiento de la diferencia textual, sea lo que sea, más que desde una instancia interpretativa. A la vez la interpretación no es expresable más que desde la inscripción previa de una diferencia entre el discurso interpretante y el discurso interpretado. Pero, inversamente, sin diferencia textual, sin movimientos y desplazamientos diferenciales en el texto, la interpretación no tendría necesidad de articularse. Y así toda diferencia entre discursos perdería su sentido: viviríamos en un reino de identidad sin fronteras en el que la misma reflexión sobre el discurso, sobre el lenguaje, sería superflua y muy posiblemente imposible.

Todavía no sé si resultaría legítimo hacer aquí la afirmación de que este estudio no es otra cosa que una reflexión sobre el lenguaje. Quizás sea legítimo en un sentido casi trivial, que no es precisamente el que más interesa: toda reflexión es reflexión sobre el lenguaje. Pero puede haber algo así como una tematización implícita de tal hecho: el hecho se piensa sin pasar nunca, o casi nunca, al fondo blanco de la escritura. Permanece orientando la escritura, dándole un orden secreto, inexpresable, justo porque la expresión de ese orden, de esa orden, podría resultar demasiado peligrosa para la escritura misma, abriría demasiados abismos, se haría demasiado difícil poder sobrevivir en el ámbito agobiante de tal tarea. Digamos que la reflexión sobre el lenguaje está aquí inquietantemente circunscrita a la reflexión sobre la articulación del lenguaje que usa y se usa en las tareas tradicionales de la interpretación de textos.

Además de los cuatro primeros capítulos, que forman cierta área de unidad en la medida en que los tres segundos son desarrollo explícito de otras tantas secciones del primero, he incluido un quinto capítulo cuya aparente irregularidad estructural quiero justificar. Ese quinto capítulo trata de ciertos textos de Severo Sarduy y Roland Barthes, de José Lezama Lima y de Joyce. No se trata en él, sin embargo, de «llevar a la práctica» una «teoría» expuesta anteriormente. El capítulo quinto no lleva a la práctica, sino que extiende, y en la medida en que extiende, modifica, las determinaciones en sí provisionales de la serie de diferencias. Aunque cada uno de los tres ensayos contenidos en ese capítulo aborde su tema desde la perspectiva de una de las diferencias, textual, interpretativa o discursiva, las otras dos diferencias, como no podía ser menos, están siempre igualmente activas. Por otra parte, espero que las perspectivas mismas, dictadas por los capítulos anteriores, pasen en el curso de la lectura de este quinto por una alteración de horizontes que arruine de entrada toda posibilidad de dictado y de receta metodológica.

Int... ación y diferencia

Prin... te: Delimitación

I... ninabilidad del proceso interpretativo indica cierta incapacidad del ... para cifrar globalmente, por medio del comentario, el signifi- cado ... alquier texto. Tal incapacidad es una consecuencia de la difer... e media en todo texto entre literalidad y significado; en otras palab... a consecuencia de que el texto, y eminentemente el texto litera... sólo significa sino que es en sí mismo aquello que significa. Llam... a diferencia diferencia textual. La diferencia textual está soste... la perspectiva de las lenguas occidentales, que descansan, en palab... Heidegger, «en la distinción metafísica entre lo sensible y lo supra... , puesto que la estructura del lenguaje está basada en los eleme... sonido y escritura por un lado, y sentido y significado por el ot... espräch» 98). La definición es de momento aproximada y prelim... ero será completada en páginas posteriores.

El ... je crítico procede como si la verdad literaria tuviera dos posib... de manifestación: la que el texto persigue por medio de su consti... poética, y la que la interpretación busca en el discurso refere... recto. El texto literario no se limita a captar una u otra verdad... que es en sí primordialmente su propia verdad, y ésta perma... agotable por la expresión conceptual. En mi opinión el discur... co y el discurso interpretativo expresan verdades heterogéneas, aunqu... puedan apuntar en la misma dirección y hacia el mismo sitio. ... zación interpretativa no es reducir esa heterogeneidad; de hecho, ... eptándola como condición determinante puede proseguir su tarea. ... r la diferencia de la interpretación con respecto de lo interpr... upone fundamentalmente aceptar y preservar en cada caso la propia ... ia textual entre significado y literalidad.

Par... érprete, la diferencia que instituye en el texto literario el juego ... alidad y significado, al proyectarse como diferencia entre texto e... ete, genera un exceso, que es lo que no puede dominarse en el discu... erpretativo. La interpretación es interminable: toda concep- tualiza... la verdad textual es inmediatamente excedida por el texto mismo, dado que el texto guarda en su diferencia un número siempre indefinido de alternativas.

Preservar en la interpretación la diferencia textual da la posibilidad de enfrentar —y en cierta medida de resistir— el exceso significativo de cada texto. Pero preservar la diferencia sólo puede querer decir encontrar en cada texto la traza de su límite. El límite marca simultáneamente la identidad y la diferencia de cada texto. Defino propiedad textual como el límite de articulación de la diferencia textual: un lugar de máxima tensión entre literalidad y significado, más allá del cual ambos rehúsan acomodarse mutuamente; más acá del cual toda acomodación, aunque pueda ser más o menos correcta, permanece meramente provisional e irresoluta. No se trata de ningún modo de encontrar en cada texto el fundamento para la interpretación —entre otras razones porque la interpretación puede también sostenerse como fundamento del texto. Se trata más bien de encontrar el abismo textual, esto es, el fundamento sin fundamento que origina y posibilita toda razón y toda fundamentación interpretativa: la libertad textual y no el principio rector.

Los capítulos que siguen a este primero explorarán tres formas de diferencia relevantes para la tarea interpretativa, y lo harán atendiendo a la localización de los límites y de los abismos en los que esas diferencias se constituyen. En este capítulo intento determinar las formas de diferencia desde el punto de vista de su relación mutua. Procedo de acuerdo con el siguiente plan: Una cala en el sentido de la *diferencia textual* me llevará a establecer lo que considero el origen de la tarea interpretativa en el encuentro del intérprete con la obstrucción del significado. Pero la obstrucción del significado en la literalidad es en sí el fundamento de la diferencia textual. La diferencia textual remite, pues, a una *diferencia interpretativa*, entendida como relación entre interpretación de la tradición y preservación de la diferencia textual. Diferencia textual y diferencia interpretativa no son sin embargo originarias. Ambas tienen un fundamento común en la relación diferencial entre texto e intérprete. Esta última debe ser contemplada como caso particular de la diferencia entre sujeto y mundo. Desde la perspectiva de la interpretación, la relación entre sujeto y mundo será construida como relación diferencial entre discurso interpretativo y discurso poético, o *diferencia discursiva*.

La localización de abismos interpretativos es la repetición hermenéutica de la localización del límite de la metafísica. Si la metafísica es ante todo la búsqueda determinante del fundamento de lo que es, no puede pensar el fundamento infundamentado más que bajo la rúbrica de la ontología —ciencia de la generalidad que subsume a todo ente— o teología —ciencia del principio productor de todo ente. Pero ontología y teología se encuentran en su propio abismo en su imposibilidad de dar cuenta de la diferencia entre sí mismas y aquello que preside su constitución, su lógica. Pensar esta diferencia, a la que Heidegger llama diferencia ontológica, es

pen[...] el límite de la metafísica. A su vez, pensar el abismo de la
inte[...]ón, como paseo y aventura en el límite, explora las condiciones
en [...]es posible pensar lo que por ahora permanece indeterminable:
el s[...]a de la metafísica, que es también un paso atrás hacia el origen
siler[...]e la metafísica. (Cf. Heidegger, «Wesen des Grundes», «Satz»,
«Ve[...]».)

[...]da parte de este capítulo examina lo que llamaré *estructuralidad*
de l[...]ura diferencial de la interpretación. Se vuelve allí al estudio de
las [...]as textual, interpretativa y discursiva desde una perspectiva no
ya h[...]tica, sino ontológica. En tanto reflexión ontológica se empeña
desd[...]en el establecimiento de un fundamento para la interpretación.
Pero[...]z, el fundamento no podrá expresarse más que atendiendo a la
difer[...]d misma. Así la identidad del fundamento se descubre como
difer[...]sta tensión de identidad y diferencia parece cumplir el papel
de le[...]en el abismo el movimiento interpretativo.

Difer[...]xtual

1. Li[...]d y significado

L[...]ficidad del texto se deriva en primer lugar de su condición
gram[...]a —es decir, de su condición de estar escrito y/o poder
transr[...]e acuerdo con los mecanismos generales de transmisión de la
escrit[...]más relevante es el de su reproducibilidad. La escritura —y la
escrit[...]iona también en la transmisión oral: escritura memorística o
memc[...] inaugura la reproducibilidad del texto. Reproducibilidad es
una f[...]e idealidad: parece que el texto trasciende su condición
mater[...]hace presente en cada lectura, incluso en cada traducción,
más c[...]siempre uno y el mismo para ser entendido de formas
difere[...]cir aquí idealidad no supone postular una posible presencia
plena[...]erial del texto para su intérprete. La presencia textual en
cada[...]ucción del texto está siempre fracturada por múltiples
ausenc[...]obstruyen el entendimiento, y así hacen posible la tarea de
la inte[...]ón. El texto es una presencia enigmática bajo el dominio de
la dife[...]xtual.

La [...]y esencial característica de la idealidad gramatológica es
estar r[...]por la materialidad de la letra. La literalidad del texto
guarda[...]mensión. Guarda enigma y significado, ausencia y presencia.
La lite[...]del texto instituye la diferencia textual, y por lo tanto
instituy[...]exto como presencia enigmática. Que la literalidad sea
instituy[...]l texto implica que nada hay textual previo a la literalidad.
Pero l[...]idad libera en su constitución significado. Todo texto
signific[...]e todo texto se entiende de una manera o de otra —y

17

también en el modo de ser incomprensible. Pero ningún texto se entiende exhaustivamente. La interpretación, aun la más abarcadora, encuentra siempre un remanente de indeterminación que supone un exceso de significado textual.

El texto, en su constitución literal, abandona la nada para alcanzar un exceso. Nada y exceso son los dos límites textuales que fundan también los límites del pensamiento interpretativo. Nada y exceso son dos determinaciones indeterminables, comprensivas del enigma textual. Son respectivamente inaccesibles como orígenes de la literalidad y del significado. Pero nada y exceso no se contraponen: en la nada pretextual hay ya un momento excesivo de cuyo desbordamiento surge el texto. Y en el exceso significante se hace patente un lugar vacío, en el que se aloja la negación de toda posible aprehensión de una plena identidad textual.

Nada y exceso determinan la diferencia textual. Al hacerlo, definen una menesterosidad radical de la interpretación. La interpretación es menesterosa frente a los límites textuales porque éstos, al ser límites, son precisamente lo no absorbible por la interpretación. Cualquier tentativa de discurso crítico conceptualizador de la nada o del exceso está abocada al fracaso. Si logra su propósito, ha destruido la nada y desmantelado el exceso sólo para que ambos se reconstituyan al margen de la nueva frontera. Sin embargo, a la interpretación le incumbe necesariamente la preservación de los límites que albergan el valor textual. No hay escape: o la interpretación preserva los límites textuales o los límites textuales reaccionan destruyendo la validez interpretativa.

2. Prejuicio y significado

Concentrarse críticamente en la diferencia textual es primeramente dar atención al juego de literalidad y significado. Al leer o al escribir un texto nos situamos de entrada, no sólo en relación con el texto en su literalidad, sino en relación también con aquello de lo que el texto trata, su asunto. La relación con el asunto textual, en la que se hace posible toda construcción de significado, se formula necesariamente como prejuicio. El prejuicio —es decir, el juicio explícito o implícito sobre una situación concreta antes de que todos los elementos que la configuran hayan sido examinados— orienta nuestra relación con el asunto textual hasta el punto de constituirse en una anticipación del sentido global que irá corroborándose o modificándose en el curso de la lectura (Gadamer, *Wahrheit* 277-78). Sin prejuicios no podríamos proceder a la construcción del significado textual. Este necesita una suerte de previo horizonte de expectativas sobre el que conformarse, positiva o negativamente. Precisamente porque se lee y se escribe con la vista puesta en el asunto textual,

el [...]niento del texto procede con arreglo a expectativas de que lo
qu[...] tenga un valor de verdad, sea verdadero, sea falso. Basta aquí
ent[...] or «verdadero» aquello con lo que estamos de acuerdo, aquello
que [...]ta a nuestras creencias o se conforma a nuestras experiencias; y
por [...] lo inverso.

[...]s podamos asignar a lo leído un valor de verdad —el valor de
ver[...] l sentido descrito funciona también para el texto poético y de
ficc[...] interpretación transcurre con arreglo a lo acostumbrado y
fam[...]diferentemente o en el modo de la in-diferencia. Digamos que
la li[...] aún no se ha manifestado obstrusiva. De hecho la literalidad
no [...]sentado todavía en su diferencia, en su ajenidad manifiesta con
resp[...] nuestra anticipación de significado. Aquello que el texto dice,
el s[...]extual, es aún accesible, estemos o no de acuerdo con ello.
Esto[...] porque el texto continúa conformándose a nuestro horizonte
de p[...], o viceversa.

[...]orizonte de prejuicios tenga pues positividad para el entendi-
mier[...]fuera de duda. Pero, ya en lo que se refiere a la situación que
acab[...]scribir, cabe mantener que el horizonte de prejuicios cumple
tamb[...]unción negativa de distraer de la presencia textual lo inacomo-
dabl[...]rencial. Nietzsche lo expresa de la siguiente manera:

[...]n última instancia, nadie puede extraer de las cosas, incluidos los
[...], más de lo que ya sabe. Para lo que no se tiene acceso desde la
[...] experiencia tampoco se tienen oídos. Imaginemos ahora un caso
[...]no: el de un libro que no habla sino de acontecimientos que yacen
[...]do más allá de cualquier experiencia frecuente o incluso rara —que
[...]primer lenguaje para una nueva serie de experiencias. En ese caso,
[...]emente nada se oirá, pero se producirá la ilusión acústica de que
[...] nada se oye, nada hay. (*Ecce* 297-98.)

La [...]ón del libro extremo adquiere en cierto sentido mayor
radica[...] se postula un libro escrito en lengua desconocida. La lengua
desco[...]no dice nada. Si es perfectamente desconocida, incluso su
condi[...] lengua permanecerá oculta, y no se ofrecerá por lo tanto
como [...] de interpretación. Pero descendamos del libro extremo que
no pu[...]nocerse como libro a cualquier libro próximo. También en
este h[...] multiplicidad ilimitada de ocultamientos. Puede decirse que
en la [...] en que asumimos algo así como una naturalidad del
signific[...] que entendemos y fijamos como correcta una interpretación,
en qu[...]to comunica una transparencia dada, precisamente en esa
medid[...]xtual se retira, se escapa, se pierde a la comprensión: «nadie
puede [...]de... los libros más de lo que ya sabe». Todo lo no sabido,
lo que [...] preentendido, eso es lo que se pierde en la interpretación
bajo el [...] de la «ilusión acústica» nietzscheana.

3. Tarea interpretativa

Aceptar el dominio de la «ilusión acústica» con resignación no va lo suficientemente lejos. La resignación como gesto fracasa aquí primero porque rehúsa entender que el mismo horizonte de preentendimiento es por definición inagotable. Toda nueva interpretación, todo rescate de una nueva presencia textual amplía el horizonte. El horizonte de entendimiento es ilimitado porque el límite sólo puede fijarse con respecto de un más allá que, una vez vislumbrado, deja de ser más-allá para reconstituirse en nuevo horizonte. Si la lectura explicita lo implícito, qué es lo implícito sólo puede determinarse a partir de lo explicitado. Y lo explicitado es siempre susceptible de desarrollo indefinido.

En un sentido más cercano, incluido desde luego en el primero, al que nada escapa, el gesto resignado es ya también insuficiente. La insuficiencia se siente bajo la forma de angustia cuando el fallo del entendimiento se produce a un nivel de conciencia en el que no es posible sin mala fe acogerse a la «ilusión acústica» como a paraguas protector: cuando se sabe precisamente que algo hay allí donde nada se alcanza a oír, o donde lo que se oye es un murmullo reticente. En ese momento de hundimiento o al menos de suspensión de nuestra anticipación del sentido global del texto, éste permanece reticente y no ofrece más que una opacidad aparentemente impenetrable; pero por eso mismo reclama la penetración. Ese momento en el que la situación del intérprete es la de súbita percepción de una carencia, de una culpa o deuda del entendimiento con respecto del texto a interpretar, es el momento de encuentro con la dureza de la literalidad, revelación de la literalidad que es simultáneamente revelación de la diferencia textual de literalidad y significado.

Gadamer define el lenguaje poético como «lenguaje que no sólo significa algo, sino que es en sí aquello que significa» («Philosophie» 31). El lenguaje literario es autosignificante, primordialmente autorreferencial. El signo literario no refiere ostensiblemente a un contexto situacional en el que cobraría su sentido, sino que guarda en sí su propia referencia. Esto no supone, claro está, excluir de la legitimidad todo movimiento interpretativo tendiente a analizar un texto literario dado, o un conjunto de textos, desde un horizonte extratextual. El lenguaje poético no sólo se autosignifica, también significa, y por lo tanto a él es aplicable todo tipo de análisis de significado. La cuestión es la de la especificidad del texto literario, su diferencia con respecto de otros modos textuales. El texto literario es específico porque, a diferencia de otros textos, es en sí lo que se significa. Una factura de compraventa, por ejemplo, remite al momento contractual de la compraventa, pero un poema, para serlo, se configura a sí mismo como unidad de sentido. El significado del poema no depende primordialmente del contexto, sino que coincide con la literalidad y en ella se funda. Pero si la literalidad poética funda así el significado puede

decir [...] lo emancipa: lo emancipa con respecto de la dependencia
cont[...] Este rasgo define también para Derrida el carácter del discurso
poét[...]

> [...] inscripción —aunque esté lejos de hacerlo siempre [es decir, sólo
> [...]ce en cuanto inscripción poética]— tiene ella sola el poder de
> [...], es decir, de despertar a la palabra de su sueño como signo.
> [...]rando la palabra, la inscripción tiene por intención esencial...
> [...]ipar el significado... del predicamento natural en el que todo se
> [...] a la disposición de una situación contingente. («Force» 24.)

Q[...] [...]eralidad de la escritura fuerce la emancipación del significado
es par[...] [...] con respecto de la tradición metafísica, según la cual toda
mater[...] [...]bstruye y no libera. Ya Platón hace opinar a Sócrates en el
Fedro [...] [...]o la conversación, el habla viva, puede otorgar verdad, en
tanto [...] [...]ura es fuente de engaño (*Phaedrus* 274 c 5 ss.). El habla es
aire, *p*[...] [...]espíritu. La letra está supeditada a condiciones materiales de
produc[...] [...] reproducción, que la fijan y la hacen inmóvil, pesada,
incapa[...] [...]denarse en un diálogo con cada interlocutor específico. La
letra n[...] [...]espíritu vivifica. Y sin embargo, sólo la letra emancipa el
signific[...] [...]pecto de su origen en la situación contingente —por medio
de su c[...]ión en texto.
   La [...] [...]dad es el campo de juego de literalidad y significado. Pero
el juego [...]da aquí en la tensión de oposición de ambos contendientes.
Entre li[...] [...]l y significado no hay meramente una relación de oposición,
sino un [...]ón diferencial como la que media entre enigma y verdad o
ausenci[...] [...]encia. Ambos términos de estos pares se posibilitan el uno
al otro. [...]r ejemplo, enfatizar el enigma o la ausencia es enfatizar un
vacío qu[...] [...]lcanza concreción inteligible desde la orilla contraria de su
diferenc[...] [...]erdad no sabríamos de enigmas; sin presencia, de ausencia.
La ema[...] [...]n del significado textual debe entenderse en el mismo
sentido [...] [...]e se entiende que haya para el sujeto revelación de verdad.
La verd[...] [...]esoculta desde un fondo opaco. El significado se hace
presente [...] la opacidad literal. La opacidad genera transparencia
porque [...]mpre no pueden darse la una sin la otra.
   Para [...] [...]posible la emancipación del significado textual debe haber
comunid[...] [...] prejuicios entre texto y lector. El preentendimiento,
constitui[...] [...] un horizonte de prejuicios, orienta la anticipación del
significa[...] [...]l y crea así una región abierta donde el significado, por
corrobor[...] [...] o modificación de lo anticipado, se manifiesta a partir de
una liter[...] [...]ue de otro modo permanecería opaca. Pero ¿qué pasa
cuando l[...] [...]ipación del significado textual simplemente rehúsa mani-
festarse -[...] [...]do al mismo tiempo el texto arroja un modo particular
de reticer[...] [...]diante el que manifiesta esa no-manifestación? Este es el

hecho duro y frío que ocasiona toda la problemática interpretativa. Sin él, la interpretación ocuparía, pero no sería objeto de preocupación. A él hay que enfrentarse antes de decidir a favor de la «ilusión acústica»: «si nada se entiende, nada hay». Antes bien: algo debe de haber que no se alcanza a entender. Por eso hablamos de «ilusión».

En el momento de reticencia literal la transparencia se vuelve opacidad. La comunidad de prejuicios entre texto y lector muestra su reverso. La familiaridad con el texto es sustituida por extrañeza, y el entendimiento resiente la amenaza. Se produce entonces la percepción de la otredad textual, del carácter de diferencia que el texto encierra. Gadamer puede estar expresando ese momento abismal con las siguientes palabras: «Hay una polaridad de familiaridad y extrañeza en la que se basa el trabajo hermenéutico... La verdadera morada de la interpretación está en esta área intermedia» (*Wahrheit* 279). La tarea interpretativa está en la diferencia textual.

La tensión entre familiaridad y extrañeza, sentido de la tarea interpretativa, es el momento angustioso de revelación de la literalidad como morada de lo ausente. El significado, por fallar, abre el vacío en cuyo fondo la literalidad cobra presencia. La presencia literal —otorgada por la ausencia del significado— es ciertamente obstrusiva para la interpretación, y recobra aquí engañosamente el sentido dado a toda materialidad por la tradición metafísica. La obstrucción se experimenta como angustia. «Angustia» deriva de la palabra latina para «estrechez», «situación crítica». La resolución de la crisis depende del atravesameinto de esa estrechez o angostura. Por el pasaje estrecho pasa la única posibilidad de preservación textual en la interpretación. Y antes de consumarse el pasaje, en el momento de cierre del significado que es revelación de la literalidad, se da el momento reticente y deudor que ha de abrir, si llega a hacerlo, la resolución de la interpretación. Lezama llama a ese momento «la fisura en la piedra». Una vez vencida, la fisura «cae como la cascada que el esturión desaloja / para enterrarse en el movimiento». En el mismo poema Lezama llega a una espléndida formulación del momento de crisis en el que la diferencia textual se revela como obstrucción del significado por una literalidad emblemáticamente jeroglífica:

> En la escritura de la aguada sobre la seda
> desenrollada a lo largo del río con las hojas
> estampadas por el gallo embadurnado,
> el ideograma del bambú tiene la obligada compañía
> del tigre, escarbador del espacio elástico,
> y los emblemas emigrantes del pino
> se ladean para perseguir los escasos trozos de la cigüeña japonesa.
> Así la escritura borra el análogo que necesita la visión
> y el *puesto ahí* fatalmente es el innumerable rechazador.
>
> (*Poesías* 235)

Dife[rencia] interpretativa

1. P[ercepc]ión e interpretación

H[e insis]tido en las páginas anteriores en la necesidad que tiene la inter[pretació]n de pensar la diferencia textual en cuanto diferencia textual, y de [mante]nerse en el pensamiento de esa diferencia. La diferencia se revel[a por m]edio de una obstrucción al paso interpretativo que convierte la fa[miliarida]d en extrañeza. La obstrucción en sí es la que revela, no sólo la dif[erencia] entre literalidad y significado, sino la literalidad y el significado mism[os com]o aquello que difiere en la diferencia. Sólo porque existe la difere[ncia te]xtual, es decir, porque existe la obstrucción que la revela, pode[mos imag]inariamente distinguir entre literalidad y significado.

L[legamos] así a un límite peculiar del pensamiento: si la obstrucción mues[tra imagi]nariamente literalidad y significado como instancias diversas, y al m[ismo ti]empo la obstrucción es sólo concebible como obstrucción del signif[icado en] la literalidad, ¿no hay aquí ya una circularidad imposible? Romp[erla ex]ige probablemente algo más que un mero respensar la relaci[ón entr]e causa y efecto, la causa y lo causado. Del origen de la difere[ncia ont]ológica dice Heidegger que «ya no se deja pensar dentro del círcul[o de la] metafísica» («Verfassung» 70). Paralelamente, el origen de la difere[ncia tex]tual, que es la ruptura del círculo encontrado, permanece en un reg[istro de] oscuridad donde no es la lógica la que entra. La diferencia se experi[menta c]omo obstrucción. Ahora bien, la obstrucción en sí es un choqu[e] en el que la reticencia del texto confronta al intérprete y le obliga [a recon]ocer su propia carencia de palabra. La diferencia textual, lejos [de expli]carse como mero conflicto de literalidad y significado, no puede [revela]rse más allá de un silencio en su fundamento. Pero, para el intérp[rete, ma]ntenerse en la diferencia no es mantenerse en el silencio, sino ac[ceder] a la interpretación.

La [base] de la interpretación es la diferencia textual porque en ella comien[za, y] porque en ella acabe, el hecho interpretativo. La obstrucción produc[e angus]tia, y la angustia es invisible. La angustia se cifra en que el mundo [actua]l se revela precisamente como lo amenazante, lo que no ofrece [protecc]ión. Heidegger habla del mundo experimentado en la angusti[a como] unheimlich (de Heim, «morada», «casa») (Sein 251; 40, 188). Ahora, [si la in]terpretación debe mantener el pensamiento de la diferencia, la inter[pretació]n no se orienta a aplacar la angustia de desprotección —no busca [darle] techo y dar cimientos a la ausencia de techo y de cimient[os, bus]ca, más bien, afirmar el reino de la diferencia mediante un acto de [afirm]ación de lo invisible precisamente como vivido. Nietzsche llama a [esta ac]titud amor fati (amor del destino): «Mi fórmula para la grandez[a en u]n ser humano es amor fati: que uno quiera que nada sea distinto [... des]pués, ni antes, ni en toda la eternidad» (Ecce 295). En la fórmula *amor fati* encuentra asidero la falsa paradoja de que la morada de la interpretación pueda estar allí donde sólo hay desprotección.

La preservación de la diferencia como acto de interpretación no se consuma en el silencio, sino en la interpretación, articulada en lenguaje. Por ser lenguaje, la interpretación se formula en la estela de la tradición, y está por lo tanto abierta a la historia. Así la interpretación es también siempre, ya se conforme a la tradición, ya pretenda modificarla o incluso revocarla, preservación de la tradición. La cuestión que ahora se plantea es la siguiente: ¿cuál es la relación entre preservación como preservación de la diferencia textual y preservación como preservación de la tradición —aun en el supuesto de que ambas fórmulas participen en el *amor fati* nietzscheano?

2. *Diferencia textual y tradición*

El movimiento de preservación de la tradición en la interpretación encuentra su mayor fuerza y justificación en la característica mimética o representativa del arte, y está por lo tanto vinculado a la llamada comunidad de prejuicios entre texto y lector. La comunidad de prejuicios presupone la referencia a un conocimiento de lo real que es compartido. Lo que se comparte es necesariamente una unidad, una mismidad esencial. Que el arte represente quiere decir que vuelve a traer a la presencia el objeto de la representación. Dentro de la perspectiva mimética, entonces, lo que lector y texto presuponen previamente a la representación es representado y así reconocido. Ahora bien, lo reconocido en común sólo puede ser una esencia previa, que funciona en cada representación, es decir, en cada acto de interpretación, como origen, fundamento y verdad de la interpretación misma.

En esta perspectiva, cuando se produce el fallo del entendimiento, la necesaria interpretación subsiguiente se orienta a una reconstitución de la esencia previa. Digamos que aquí el encuentro con la diferencia textual impone la obligación de proceder a un reencuentro con la identidad que antecede a la diferencia. Aquí la angustia de la obstrucción da paso a un impulso fundamental por dominar la angustia. La necesidad de la interpretación se siente como anulación del exilio en el que la diferencia textual nos arroja. El exilio se anula mediante la vuelta al suelo patrio: la esencia original de la que hemos sido desplazados.

El movimiento de preservación de la diferencia como diferencia, en cambio, no tiene suelo fundamental al que retrotraerse. Si se retrotrae a la esencia es sólo para afirmarla como disuelta. La diferencia textual crea una región de ausencia donde la esencia previa muestra sus raíces abismales. La fisura textual se refiere desde luego a la tradición y a la preservación de la tradición —pero lo que preserva en ella no es el suelo original, sino la

ause origen, afirmada como el fundamento de toda esencia. La
inter...n no es ahora exilio, sino encuentro afirmativo con la
recui...le la esencia en el abismo y del abismo en la esencia. Pero esto
tamb...re decir: afirmación simultánea de la angustia como invivida
y co...ible. La preservación de la diferencia como diferencia incluye
neces...te también la preservación de la tradición como preservación
de la...a. Lejos de abandonar el concepto de interpretación como
exilic...rpretación afirmativa de la diferencia lo asume y lo incorpora
como...to esencial sin el que ningún gesto de afirmación abismal es
posib...

L...retación como exilio y la interpretación como abismo viven
en te...ferencial. Como en el caso de la relación entre literalidad y
signif...mpoco aquí es cuestión de escoger. Pero tampoco es posible
asigna...ioridad jerárquica a cualquiera de los términos. Las jerarquías
están...lemente desplazadas por la presión de la diferencia, que
exige...ostulación de su propia precedencia. La relación diferencial
—es c...nguna esencia estable, ninguna identidad original— precede y
detern...uego de las interpretaciones.

Difere...cursiva

1. Rel...erpretativa

La...a interpretativa es relación diferencial. La interpretación
relacioi...lo pronto texto e intérprete. Conviene, pues, preguntarse
por la...za de la diferencia entre texto e intérprete. Ya no diferencia
textual...poco diferencia interpretativa. O mejor: también diferencia
textual...encia interpretativa, pero sobre la diferencia que funda la
posibili...esas dos. La relación entre texto e intérprete, sin embargo,
es un c...icular aunque señalado de la relación entre sujeto y mundo.
Hei...denomina diferencia ontológica la diferencia entre el ser y
los ent...en aún no mencionada expresamente en *Ser y tiempo*, la
diferenc...e el ser y los entes constituye para Heidegger el tema
esencial...samiento. Debo sostener aquí la legitimidad de establecer
una co...n entre la diferencia de sujeto y mundo y la diferencia
entre el...os entes. En *Identidad y diferencia* Heidegger señala que
Perméni...só explícitamente la relación de sujeto y ser como relación
de iden...su sentencia *to gar auto noein estin te kai einai*. Una
traducci...cional es: «pues lo mismo es pensar y ser». La relación de
identida...lecida en el fragmento habla de una copertenencia de
pensar y...es necesariamente más que una mera conexión copulativa,
por muy...lmente que se piense tal conexión. La conexión establece
la identi...de ser y pensar sobre la base misma de ser: «Ser *es*

pensar». Hay que admitir que es una interpretación restrictiva del fragmento. La alternativa es comprender que Parménides no está estableciendo meramente una cópula identificativa entre ser y pensar, sino cabalmente lo contrario: la copertenencia de pensar y ser establece la posibilidad de toda cópula siendo previa a ella. Es decir, ser y pensar pertenecen a la identidad, y no la identidad al ser. Que la identidad pertenezca al ser, esto es, que la identidad constituya una entre otras características del ser, es sin duda lo que dos milenios de metafísica han venido afirmando. Así, la lectura metafísica del fragmento parmenídeo encuentra una de sus formulaciones más reveladoras y exactas en la frase de Hegel «Lo real es lo racional y lo racional es lo real» (*Grundlinien* 24), donde «es» tiene efectivamente el sentido transitivo de unificación en síntesis de lo diverso; lo que es lo mismo, donde «ser» afirma su predominio como suelo y fundamento de la identidad de lo pensado.

El gesto metafísico consuma la transformación de la identidad como copertenencia a la identidad como conexión fundamentativa. En el pensamiento de la identidad como copertenencia está implícita la posibilidad de pensar simultáneamente la identidad como diferencia de lo coperteneciente. La identidad entre el ser y los entes, por ejemplo, sólo es posible como diferencia. En cambio, el pensamiento de la identidad como cópula es justamente el pensamiento de la cancelación de lo diverso en su unificación. Por eso la diferencia ontológica está borrada en la absoluta unificación hegeliana. La metafísica pierde la posibilidad de pensar como diferencia y en la diferencia la relación de los elementos que configuran, metafísicamente, la conexión de identidad.

Pensar como copertenencia la identidad de pensar y ser supone abandonar el concepto de identidad como fundamentación. Abandonar el pensamiento de la identidad como fundamentación es sobrepasar el origen onto-teológico de la metafísica:

> La metafísica piensa los entes como tales, es decir, en general. La metafísica piensa los entes como tales, como totalidad. La metafísica piensa el ser de los entes a la vez en la unidad fundamentativa de lo que es más general, lo que es indiferentemente válido en todas partes [ontología], y también en la unidad del todo que da razón del fundamento, es decir, la unidad del Altísimo [teología]. Así, el ser de los entes se piensa de antemano como el fundamento fundamentativo. Por lo tanto toda metafísica es, en el fondo, y desde su fundamento, lo que fundamenta, lo que da razón del fundamento, lo que es llamado a razón por el fundamento, y, finalmente, lo que el fundamento llama a razón. («Verfassung» 55)

Abandonar el pensamiento de la identidad como fundamentación equivale a saltar fuera del límite metafísico; para ir ¿adónde?

...ntido crítico pensar la identidad como copertenencia apunta a ...que ha quedado necesariamente impensado por la tradición ...Que el ser sea lo fundamentativo y los entes lo fundamentado ...concebirse a costa del olvido de que ser y entes son ...e lo que difiere en virtud de la diferencia, como literalidad y ...ran lo que difería en virtud de su obstrucción mutua. El ...diferencia no es, en cuanto olvido, un acto casual, sino en sí ...cesitado por la peculiar manifestación histórica del pensamiento ...omo metafísica. Desde la época metafísica, es decir, desde ...ción, el olvido de la diferencia es necesario. Heidegger descri-...o en *De la esencia de la verdad*. Verdad es concebida en tér-...esocultamiento» (del griego *aletheia*, verdad). Los entes acce-...ultamiento porque el sujeto se compromete en dejarlos-ser. ...mpromiso del sujeto es en toda ocasión un comportamiento ...cia los entes en cuestión: «Precisamente porque dejar-ser ...ser a los entes en un comportamiento particular que se rela-...os y así los revela, oculta el ser como un todo. Dejar-ser es ...te al mismo tiempo un ocultar» («Wesen der Wahrheit» 193).

...ueda oculto en cada comportamiento particular con respecto ...es el ser como totalidad, siempre irrecuperable. El ser no ...esocultamiento; sólo los entes. Si no entra en el desoculta-...anece en la no-verdad. Ahora bien, que el ser como totalidad ...en la no-verdad quiere decir que la no-verdad es el origen de ...posible. A ese punto originario, radicalmente ausente en su ...eidegger le llama el «misterio» (194). En su ocupación con los ...bre no puede ocuparse del misterio, porque toda ocupación, ...mportamiento específico, es comportamiento necesariamente ...una especificidad. Por lo tanto «el desvelamiento de los entes ...s simultánea e intrínsecamente el ocultamiento del ser como ...8). Y por ello el olvido de la diferencia.

...diferencia entre el ser y los entes es preservar la precariedad ...ia como diferencia, y esto significa: abrirse a la concepción de ...encia de ser y pensar, mediante la cual el pensar salvaguarda ...erdad está relacionado etimológicamente con guardar: *veritas*, ...guarda el ser alcanza el pensamiento en una apropiación ...egger llama a esto *Ereignis*, «acontecimiento de doble apropia-...él se mueve el intento de pensar (en) el límite de la ...ero de la posibilidad de *Ereignis*, y así de la posibilidad del ...la metafísica, afirma que queda meramente abierta:

...uestras lenguas occidentales son lenguas de pensamiento metafísico, ...na en su manera propia. Debe permanecer abierta la cuestión de si ...uraleza de las lenguas occidentales está en sí misma marcada con la ...exclusiva de la metafísica... o si estas lenguas ofrecen otras ...lidades de discurso. («Verfassung» 73).

2. Discurso poético y discurso interpretativo

La diferencia ontológica, esto es, lo olvidado en la confrontación metafísica entre hombre y mundo, concurre en la cuestión de la naturaleza de la relación entre texto e intérprete.

Quizá la reflexión hermenéutica, en la medida en que reflexiona sobre la copertenencia de texto e intérprete, pueda reconocerse como reflexión sobre *una* posibilidad alternativa de lenguaje. La copertenencia de texto e intérprete se hace más clara si, para evitar psicologismos, la denominamos copertenencia de discurso interpretativo, que emite el intérprete, y discurso poético, que el texto guarda. Ambos discursos están en relación de identidad diferencial. Se requieren el uno al otro, hasta el punto de que no pueden darse por separado. Pero su diferencia no es menos irreducible.

La diferencia de los discursos poético e interpretativo es en sí correspondiente a la diferencia textual y a la diferencia interpretativa. Pero entiéndase bien: no de modo que la diferencia textual corresponda sólo al discurso poético y la interpretativa al discurso interpretativo. La interpretación es también textualidad y la literatura es siempre interpretación. El entrecruzamiento diferencial alcanza todos los niveles de relación entre texto e interpretación.

He definido ya el discurso poético como aquel que libera a la palabra de su referencia contextual. El discurso interpretativo, en cambio, remite, en virtud de su misma constitución, por un lado a lo interpretado, y por otro al contexto de interpretación. El discurso interpretativo difiere del discurso poético porque en primer lugar nace específicamente como metadiscurso con respecto de un objeto textual previamente delimitado. Sin embargo, presionadas hasta el límite, estas definiciones se revelan precarias. Siempre es posible interpretar un discurso poético como discurso sobre un objeto textual previo, explícito o no. Por este camino puede lograrse una regresión infinita y una absoluta cancelación de la distinción práctica entre discursos. Hay que notar que esta posibilidad, aparentemente negadora de la diferencia, es en sí una consecuencia de la relación diferencial de los discursos, que permite la asignación de identidades variables sobre el mismo horizonte de copertenencia. La copertenencia es la que en efecto establece la posibilidad del metadiscurso interpretativo. Ahora bien, el metadiscurso siempre presupone su diferencia respecto de lo interpretativo, sea esto desde otra perspectiva relacional a su vez interpretativo o no.

La diferencia discursiva es formulable así: dado un discurso poético X, el interpretativo Y enfrentará la diferencia textual pertinente a X, en tanto X, en cuanto discurso poético, no enfrentará la diferencia textual de Y. Queda entendido que X puede a su vez constituirse como discurso interpretativo con respecto de otro discurso poético Z, etcétera. La posibilidad de proliferación ilimitada de la serie interpretante-interpretado na luz lo que quedó dicho al principio de estas páginas: la ... extual genera un exceso indominable por el discurso interpre-tati...

o textual es siempre lo que no puede ser fundamento, es decir, ... el que la interpretación no puede dar cuenta. Preservar el ... o del exceso textual, como deber de la diferencia discursiva, es ... rtida hermenéutica a la inauguración de la posibilidad de pensar ... e de la metafísica. Al mismo tiempo el pensamiento diferencial ... omo exceso del pensamiento metafísico. Y eso significa: el ... diferencial está en relación diferencial con respecto del ... metafísico. La vacilación de Heidegger sobre la posibilidad ... amiento ametafísico cobra aquí toda su fuerza. Es más: la ... misma de la necesidad del pensamiento ametafísico, en la ... que excluye la metafísica y niega en ello su copertenencia, ... ación diferencial y es por lo tanto nuevamente metafísica.

... retación respetuosa de la diferencia no busca resolver el texto ... mentación, puesto que toda fundamentación arroja un exceso ... cado que lleva hacia el abismo la totalidad de la empresa. El ... aquí un abismo que no se reconoce como tal, que se ha ... í mismo como sede y como fundamento infundamentado de la ... El conocimiento del abismo textual es la localización en el ... ausencia de fundamento; es decir, de su fundamento ausente. ... ver en qué medida la localización de ausencias arroja el ... e una identidad de texto e interpretación entendida como ... rtenencia. Queda por ver si la interpretación puede realmente ... nite metafísico rehusando ofrecerse como parte en el juego ... fundamento. La interpretación de la diferencia vive así en la ... la angostura del pasaje estrecho entre metafísica y pensamiento ... o sólo no sabiendo si el paso a través es posible; temiendo ... , si el paso se da, no quede de él más traza que la que deja el ... urión al «enterrarse en el movimiento» según la imagen de ...

... r la diferencia entre discurso interpretativo y discurso poético, ... que la relación entre ellos sea de naturaleza diferencial y no ... de inconexión, supone específicamente salvaguardar en la ... n la diferencia entre literalidad y significado textual. Lo cual ... preservar el sentido de interpretación como exilio en el ... ncontrar una patria. De acuerdo sin embargo con uno de los ... la diferencia interpretativa, la preservación es afirmativa. ... interpretación como exilio es así, simultáneamente, afirmar la ... l gozosa de encontrar patria. Esta tensión imposible entre ... como obstáculo y liquidación del obstáculo por el voluntario ... de la obstrucción debe ser leída como la guarda de la posibilidad de un paso atrás que es al mismo tiempo un salto fuera del texto; hacia su exceso.

El salto fuera del texto no puede en modo alguno ser un salto arbitrario hacia cualquier parte. La inconexión no preserva, sino que destruye la relación diferencial. El salto tiene que ser hacia lo que no ha sido dicho en el texto, pero a lo no-dicho en la medida en que ello determina originalmente la constitución de lo dicho. No de otra manera puede entenderse el fundamento ausente. En «Lenguaje en el poema» Heidegger dice: «Todo gran poeta crea su poesía de una única afirmación poética. La medida de su grandeza es la medida en la que se compromete de tal manera a esa unicidad que puede mantener su decir totalmente dentro de ella. La afirmación del poeta permanece no-hablada» («Sprache» 67). Este contenedor/contenido silencioso del discurso poético ¿puede ser el límite auténtico de cada texto —el punto de cardinación de toda diferencia, textual, interpretativa, discursiva, incluso ontológica— la nada excesiva que impone la obligación y la libertad de la interpretación preservadora?

Segunda Parte: Relación diferencial

Tensión estásica

La afirmación poética es lo que permanece no-hablado en el discurso poético. El discurso poético es aquel que se constituye con respecto de la afirmación poética, regido y mantenido por ella. Pero, a la inversa, sin discurso poético la afirmación poética no puede tampoco establecerse. Este mutuo condicionamiento de poesía y afirmación poética problematiza la relación espacial entre ambas, así como, nuevamente, la relación entre discurso poético y discurso interpretativo. En lo referente a lo poético, ¿contiene el discurso a la afirmación o es contenido por ella? ¿Qué está fuera y qué está dentro? La contestación deberá ser la misma que la dada con respecto de la relación discursiva: no hay aquí cuestión de preeminencia, se trata más bien de una relación diferencial en la que los dos términos son copertenecientes. Sin embargo, Heidegger se refiere específicamente a la «unicidad» de la afirmación poética, unicidad que parece por lo tanto congregar, presidir y dar fundamento al discurso poético.

Entiendo la unicidad de la afirmación poética no-hablada como el límite propio de cada texto —el punto, o mejor, el círculo de cardinación de toda diferencia. A esa unicidad se dirige también el discurso interpretativo, y en ella se determina esencialmente su relación diferencial con el discurso poético en cuanto tal. La unicidad no-hablada de la poesía recoge lo hablado en la poesía así como lo hablado interpretativamente en

...n ella. Marca una región de silencio radicalmente elocuente ...er permanece por el momento oscuro. Esa región constituye el ...o ausente que determina originalmente lo dicho.

...ablado, en cuanto fundamento ausente de la poesía, no es me-...a contingencia destruible por el hecho simple de ponerla en ...o no-hablado es lo siempre necesariamente no-hablado, es decir, ...ble. El discurso interpretativo no alcanza a saltar por encima ...osibilidad poética de decir, esto es, determinar, su propia ...sí el círculo diferencial de poesía y afirmación poética recoge ...discurso interpretativo en el momento mismo en que este ...omperlo o disolverlo mediante la explicitación de la unicidad ...cial. No hay unicidad transdiferencial: está, en todo discurso ...ecesariamente ausente. Como ausencia, es efectivamente el ...o abismal de la copertenencia de discurso y afirmación. La ...ón fracasa cuando pretende, o en la medida en que pretende, ...te la necesaria ausencia.

...pretación no puede dar fundamento o nombrar el fundamento ...pretado porque no puede hacer presente o traer a la presencia ...originaria que constituye el discurso poético. Decidir que esto ...ente así requiere una dilucidación de lo que podemos llamar ...dad de la estructura diferencial textual.

...la estructura diferencial del texto es negar la identidad, en el ...identificación metafísica o fundamentativa, de los componentes ...s, literalidad y significado, puesto que lo idéntico está borrado ...ón del texto. El texto no es solamente una instancia autosig-...no también, primordialmente, y en razón de su misma consti-...ística, referente a aquello de lo que trata. Como referencia, el ...e a horizontes contextuales. La instancia referencial del texto ...posibilidad de identificación de significante y significado al ...nstitución del significado a la determinación contextual. La ...xtual a lo contextual impide la clausura del texto en la identi-...austiva de significante y significado, y por lo tanto origina la ...lidad del proceso interpretativo.

...edida en que cabe hablar de unidad textual —piénsese por ...la unidad técnica y culturalmente condicionada del libro o in-...ema— lo que en ella se da no es identidad, sino más bien algo ...a tensión de simultaneidad entre literalidad y significado. Si-...l es etimológicamente «competencia» y «rivalidad» tanto como ...temporo-espacial. La anfibología es aquí conveniente. Interesa ...sentidos contradictorios de «competencia» y «copresencia». ...logía puede completar esta: la palabra griega *stasis* significa a la ...tras cosas, «guerra o disensión civil» y «equilibrio, posición es-...laré de simultaneidad estásica, o simplemente de estasis, para ...la estructura relacional de literalidad y significado en el texto.

La coexistencia de literalidad y significado en el texto, indicada en uno de los sentidos de la expresión «estasis textual», no puede ser negada con respecto del texto. Pero ¿por qué ir tan lejos y afirmar que no sólo hay coexistencia sino también rivalidad y guerra entre ambos coexistentes? La metáfora queda justificada porque literalidad y significado coexisten para el intérprete en perpetua confrontación de preeminencia. La literalidad se impone al significado, reclamándolo para sí, a veces otorgándolo y a veces oscureciéndolo, y el significado requiere una y otra vez su trascendencia con respecto de aquello que lo expresa. Ambas pretensiones son posibles precisamente sobre la base de su relación diferencial. Pero ambas son indecidibles: por eso la acepción bélica no prevalece sobre la que indica equilibrio y mutua dependencia. La relación diferencial es una tensión estásica. La tensión estásica, con su postulación de indecidibilidad, impide la aceptación de la noción de un centro textual fundamentativo. Digamos que la noción de centro cae por su peso una vez confirmada la suposición de que ninguna trascendencia es posible fuera del sistema textual de diferencias. El texto trasciende indefinidamente hacia lo contextual —que lo contextual sea a su vez un conjunto de textos o sea cualquier otra cosa es irrelevante para mi argumento— pero el modo de trascendencia no alcanza a conformar un eje jerárquico en torno al cual toda diferencia textual encontraría una posición estable en el sistema, es decir, una identidad anuladora de la diferencia misma. La consecuencia más obvia es la siguiente: en ausencia de un centro textual, en ausencia de la posibilidad de un centro textual, la tarea interpretativa no puede querer la explicitación de tal centro sin querer su propio hundimiento. Ahora bien, quizá permanezca como posible la explicitación de la ausencia misma de centro.

Círculo de cardinación

Explicitar una ausencia es aquí explicitar la unicidad de la afirmación poética que envuelve la totalidad del discurso poético. La sintaxis preserva en esto la ambigüedad que todavía guarda para nosotros tal formulación. ¿La totalidad envuelve la unicidad o viceversa? La unicidad puede representarse como un círculo de cardinación, es decir, como límite rodeante del texto, en el que se decide el modo de copertenencia de sus elementos diferenciales. Pero aun así la cuestión persiste: ese círculo ¿es preeminente, en el sentido de anterior a y determinante de la palabra poética? ¿O es más bien la palabra poética la que, en su constitución, constituye el círculo? La alternativa exige decidir si el poeta escribe hacia la expresión de una referencia que reclama ser expresada o si la escritura crea la necesidad de esa referencia, y la llamada de esa referencia, en su autoproduccción. En otras palabras, lo que debe decidirse es el estatuto ontológico de la referencia: o bien la referencia se entiende como esencia previa, o bien es

32

lo por un texto como región de su propia constitución. En este […], la referencia textual remite a la estructura diferencial del […] carencia de centro constituyente, a la imposibilidad de un […] transcendental que lo organice en sistema jerárquico. Todas las […] anteriores son repetidas en la siguiente formulación: ¿cuál es el […] ausencia del círculo de cardinación textual?

[…] da como autenticidad textual, la cardinación quedó definida […] gar de máxima tensión entre literalidad y significado, más allá […] ambos rehusan acomodarse mutuamente. La acomodación es de […] estásica: simultáneamente tensa y fraternal. El lugar de la aco-[…] estásica es la afirmación poética silenciosa a la que se refiere […] la región a la que se dirige el decir poético en su totalidad. Es, […] un lugar siempre de antemano ausente, porque a él el texto […]. Pero es también un lugar siempre de antemano presente, […] a él va siempre el texto. El texto va hacia su máxima tensión […] decir, hacia su máxima diferencialidad; a lograr la mayor […] posible de literalidad y significado precisamente por y en el […] e apertura a la interpretación, que instaura siempre de nuevo […] ferencial en la misma voluntad de anularlo.

[…] bien, si la diferencialidad estásica acomoda presencia tanto […] cia, entonces es claro que la diferencialidad no puede ser […] bajo esos términos. Los traspasa. Presencia y ausencia son […] toimplicatorios bajo la perspectiva de la diferencialidad, que […] Y, de nuevo, el exceso sólo puede concebirse estásicamente, […] ferencialidad necesita para constituirse el par presencia/ausencia. […] ido cabe entender la circularidad de la cardinación, y que la […] exija aquí ser pensada como un círculo.

[…] to círculo, se le ha asignado el modo de ser ausente, privile-[…] de los términos de la relación diferencial. En cuanto modo de […] cia es una forma negativa de la presencia. Lo que conviene […] por lo tanto, la negatividad del círculo cardinativo —com-[…] siempre primero que la negatividad expresa diferencialmente […] dad en la que se acoge y a la que acoge.

[…] del privilegio de la negatividad no puede tener otra condición […] ovisionalidad precaria. En rigor, y para mantener la neutralidad […] ento diferencial con respecto de los términos de la relación […] puede ya postularse la prioridad de ninguno de ellos. Pero el […] neutro se parece excesivamente al *rigor mortis:* condenarla al […] mejor, a cierto silencio, que es la muerte de la interpretación […] de lo poético (aunque puede ser también otra cosa). La op-[…] negativo, reconociéndose como opción intradiferencial y por […] afísica, puede al mismo tiempo reafirmar su diferencia dándo-[…] a dejarse destruir una vez haya consumado su movimiento.

Esta estrategia de abuso y destrucción puede muy bien ser el límite más allá del cual el pensamiento diferencial no puede siquiera constituirse como pensamiento. Así, es el gesto propio de quien busca abrir una fisura en el círculo metafísico e instalarse en ella furtivamente, por el procedimiento de borrar inmediatamente su huella. Es también el gesto del esturión que, al enterrarse en el agua, permite que el agua borre su paso. El gesto de Heidegger: «¿Y qué si incluso el lenguaje de la metafísica y la metafísica misma... formaran la barrera que prohibe el cruzamiento de la línea...? Si ese fuera el caso, ¿tachar la línea no sería necesariamente una transformación del lenguaje, no requeriría una relación transformada con la esencia del lenguaje?» («Seinsfrage» 405). Y el gesto de Derrida:

> Para exceder la metafísica es necesario inscribir una huella en el texto de la metafísica, una huella que continue marcada no en la dirección de otra presencia, o de otra forma de presencia, sino en la dirección de un texto enteramente otro. Tal huella no puede pensarse *more metaphysico*. Ningún filosofema está preparado para dominarla. Y es [*sic*] eso que debe eludir el dominio. Sólo la presencia se domina. El modo de inscripción de tal huella en el texto de la metafísica es tan impensable que debe ser descrito como borramiento de la huella misma. La huella se produce como su propio borramiento. («Ousía» 76).

La negatividad cardinativa es el nombre de la estructuralidad diferencial del texto. En tanto tal, al mismo tiempo que desmiente la posibilidad de fundar y dar origen, estásicamente, funda la posibilidad —es el origen— del texto; funda la posibilidad —es el origen— del proceso interpretativo; y funda la posibilidad —es el origen— de la diferencia estásica entre discurso poético y discurso interpretativo. Postular la negatividad es aquí fundacional en la medida en que texto e interpretación pueden pensarse como lo que en cada caso se apresura a llenar el lugar vacío de positividad. La negatividad cardinativa, el silencio de la afirmación poética, necesita, para ser, la contrapartida diferencial, la positividad de la mera constitución en texto. El texto —texto poético y texto interpretativo— responde así a la llamada de una ausencia, y sólo en esa llamada se hace posible, haciéndola posible.

La interpretación no puede entonces alcanzar la formulación de la negatividad original del texto. Al contrario, es esta negatividad la que en sí origina la necesidad de la interpretación, la que la alcanza y la explica. Queda por ver qué es lo que la interpretación puede realizar, cómo es posible el discurso interpretativo desde/hacia un fundamento ausente. Si la interpretación renuncia de antemano a la posibilidad de encontrar un centro textual al que dar formulación, ¿no condenamos entonces la tarea interpretativa a la condición de arbitrariedad?, ¿no llegamos a una situación en la que cualquier interpretación es posible? Pero lo que importa no es,

pre... ...e, la posibilidad de cualquier interpretación, sino la *necesidad*
de l... ...retación —supuesto que pueda concebirse.

...pretación está exigida por la negatividad original del texto.
Sólo ...erpretación que atienda a esa negatividad puede afirmar su
prop... ...sidad. Necesidad está, ciertamente, en tensión estásica con
arbi... ...d, y es un concepto que por sí mismo requiere ser tachado. Sin
emb... ...o antes de cumplir su función. Su función es la de asegurar la
tens... ...rencial entre discurso poético y discurso interpretativo, de
mod... ...diferencia no derive a significar inconexión. El requisito de la
inte... ...ón es que pueda llegar a articularse en diferencialidad estásica
con ... ...o al que y en el que se acomoda. Ciertas palabras de Derrida
sobr... ...eto de la crítica literaria vienen de nuevo al caso:

> ...vaciedad como situación de la literatura es la que la crítica debe
> ...nocer como especificidad de su objeto, *alrededor de la cual* se habla
> ...pre. Su objeto propio, dado que la nada no es objeto, es más bien
> ...anera en que esta nada *misma* se determina perdiéndose. Es el pasaje
> ...determinación de la obra como disfraz del origen. Pero éste no es
> ...ble ni pensable más que bajo el disfraz. («Force» 17-18).

L... ...lad de la afirmación poética, entendida como negatividad car-
dina... ...*determina perdiéndose* en la producción del texto. La simulta-
neid... ...terminación y pérdida —su estasis— es el objeto de la interpreta... ...n objeto, a la vez, que no es directamente accesible. Lo
acces... ...a interpretación es más bien la vecindad de esa relación de
cope... ...a diferencial, en la que el intérprete entra, él mismo, como
cope... ...te. Pero en la vecindad hay siempre guerras tanto como
amis... ...rmonía convivente. Afirmar ambas, querer ambas, ese es el
amor... ...intérprete.

Capítulo 2

Diferencia discursiva

> What is a ghost? Stephen said with tingling energy.
> One who has faded into impalpability through death,
> through absence, through change of manners.
>
> (Joyce, *Ulysses* 154; 9.147-49)

En [...]

[...]ión entre discurso interpretativo y discurso poético se articula
con [...] el sujeto de la interpretación. La relación discursiva constituye
de l[...] sujeto de la interpretación. El lugar de constitución del sujeto
es e[...]o la frontera diferencial entre ambos discursos: el lugar límite
en [...]el discurso poético y el discurso interpretativo no pueden
pres[...]más que en relación mutuamente deudora.

[...]r la constitución diferencial del sujeto, es a mi juicio, examinar
la n[...] misma del acto interpretativo. ¿Por qué hay, y por qué debe
habe[...]oretación? Esta pregunta envuelve la temática de la propiedad
inter[...]a, que a su vez implica la de la mayor o menor legitimidad de
cual[...]terpretación específica con respecto de un texto dado. La
prop[...]terpretativa depende de un reconocimiento de la diferencia
inter[...]a, a la que volveré en el capítulo tres. La legitimidad interpre-
tativ[...]ondicionada por la preservación de la diferencia textual, que
será [...] del capítulo cuatro.

E[...]tulo segundo, al ocuparse de la constitución del sujeto de la
interp[...]n desde la perspectiva abierta por la diferencia discursiva,
inaug[...] repetición de lo dicho en el capítulo primero. Pero la
repet[...]ocede en orden inverso al de la presentación original. La
invers[...]quí no tanto prurito de armonía estructural como necesidad
impue[...] la relación diferencial misma. Si en el capítulo primero se
pudo [...]la diferencia discursiva de la interpretativa, y esta a su vez de
la dif[...] textual, la inversión de la derivación asegura ahora la
impos[...] de asignar a estas tres diferencias, y a los fenómenos
implic[...] ellas, una relación de jerarquización genética.

Discurso y especulación

El capítulo anterior presentó la relación de texto e intérprete bajo el modo de la relación entre discurso poético y discurso interpretativo. La diferencia entre estos últimos quedó definida por el hecho de que el discurso interpretativo se autopostula como discurso con respecto de un texto previamente delimitado como objeto de la interpretación. La característica poética, en cambio, es la emancipación del significado con respecto de la contingencia situacional que le da origen. Ambos discursos son copertenecientes en una relación diferencial, establecida como tal sobre un horizonte silencioso llamado afirmación poética y fundamento ausente. Ningún discurso puede constituirse con independencia de esa relación diferencial. No es posible localizar textos que no realicen, en su mismo acto de constitución, delimitaciones y demarcaciones con respecto de una multiplicidad indefinida de textos previos y aun futuros, a los que por lo tanto interpretan. A la vez el texto interpretativo produce diferencialmente su propio significado, emancipado así del texto al que interpreta. Aunque la emancipación es siempre diferencial y nunca absoluta.

Lo absoluto está excluido del ámbito que nos ocupa en virtud de la apertura radical del discurso poético a la afirmación que (lo) envuelve, cuya contrapartida es la interminabilidad del proceso interpretativo mismo. La afirmación silenciosa que mienta Heidegger es la nada excesiva, vista en el primer capítulo como límite textual, que marca también el límite del pensamiento interpretativo. La nada excesiva es el fundamento ausente del discurso.

Para Gadamer

> cada palabra surge como de un centro y está relacionada con un todo, a través del que se constituye como palabra. Cada palabra hace resonar la totalidad del lenguaje al que pertenece, y hacce aparecer la totalidad de la perspectiva sobre el mundo que yace tras ella. Así cada palabra, en su momentaneidad, lleva consigo lo no-dicho, a lo que se relaciona respondiendo a ello e indicándolo... Todo el hablar humano es finito de tal manera que hay dentro de él una infinitud de significado para ser elaborado e interpretado. (*Wahrheit* 434).

Finitud e infinitud se copertenecen en la palabra por su relación diferencial. La palabra se asienta en una nada excesiva, afirmando simultáneamente una relación con lo mentado y una relación con lo no-mentado de donde lo mentado surge. Gadamer llama al fenómeno que aquí se revela «estructura especulativa del lenguaje»:

> El lenguaje... tiene en sí algo especulativo... como realización de significado, como acontecimiento de habla, de comunicación, de entendimiento. Tal realización es especulativa porque las posibilidades de la palabra están

rientadas tanto al sentido que se quiera expresar como hacia lo infinito. *Wahrheit* 444).

ngo caracterizar la diferencia discursiva como diferencia especu-
el siguiente sentido: el discurso, en tanto poético, expresa una
con su fundamento ausente como sentido mentado, y una
on la interpretación como relación con la totalidad del mundo;
rso, en tanto interpretativo, expresa una relación con la totalidad
o como fundamento ausente y con el discurso poético como
entado. El espejo lingüístico asegura aquí la identidad de ambos
como copertenencia diferencial. Ahora bien, la copertenencia
implica necesariamente al sujeto del discurso.

Di... especulativa y sujeto de la especulación

minos relacionales de la diferencia discursiva son el sujeto que
y aquello que es interpretado. La relación diferencial tiene
obre ambos términos, en la medida en que es ella quien los
en la situación hermenéutica se constituyen como tales texto e
Ambos términos se constituyen diferencialmente en el movi-
la especulación. Pero entonces, la relación diferencial incluye
te un momento de ausencia del sujeto. Gadamer la llama
Para él, la «pérdida» debe interpretarse en términos de la
el juego.

eriencia real del juego consiste en el hecho de que algo que
propio conjunto de reglas cobra ascendencia en el juego»
ik» 77). El factor determinante del juego no es la actitud de
los contendientes, sino más bien el movimiento del juego
subordina la actitud de los implicados en él. Los contrincantes
on en virtuud de ese movimiento. Llevar ese modelo al juego
permite afirmar, por una parte, que el entenderse, y así
el sujeto se subordina al entendimiento del asunto de la
on; por otra, que el texto, cuando cede significado, no cede
mismo significado, porque está también subordiñado a la
rpretativa. Sujeto y texto, por lo tanto, no alcanzan nunca
estable. Su esencia es especulativa, es decir: no admite ser
guna asignación de identidad. Toda asignación de identidad
ariamente siempre destruida en la necesariamente siempre
lación especulativa. Lo que se refleja en el espejo, lo que se
ego, lo que entiende y lo que es entendido en la interpretación
finidamente por fuerza del movimiento mismo de la especu-
ego, de la interpretación: movimiento constituyente que, por
r nuevas identidades, destruye sin cesar la identidad. Pero lo

que cambia indefinidamente es simultáneamente presente y ausente. En el sujeto, como en el texto, presencia y ausencia del otro, y así autopresencia y autoausencia, están en tensión estasica. Sujeto y texto, en cualquier momento dado, son ellos mismos tanto como son su propio reflejo especulativo: fantasma, simulacro. Mejor: son ellos mismos porque son simulacro.

Que la más exacta forma de identidad requiera el simulacro es una paradoja conocida desde antiguo. Ovidio en las *Metamorfosis* narra el mito de Narciso de una forma que permite, o incluso necesita, ser leída como mito de la constitución del sujeto en el sentido descrito. Narciso se enamora de su imagen especular y así lleva a cumplimiento su destino trágico. Tiresias había profetizado para él que llegaría a su ancianidad «si no llega[ra] a conocerse a sí mismo» (*Metamorfosis* 3.348). El proceso de auto(rre)conocimiento de Narciso, que acarrea su muerte pero también su metamorfosis, supone una fase de ceguera e ignorancia que será invertida en lucidez. En un primer momento Narciso no sabe que el objeto de su amor es su imagen o simulacro especular, al que siente y concibe como un otro. Cuando se da cuenta de que ese otro es él mismo, su aflicción es aflicción de identidad: «Lo que deseo lo tengo. Mi misma abundancia me hace pobre. Ojalá pudiera separarme de mi cuerpo» (3.466-68).

El predicamento de Narciso consiste en no poder desear más que deseándose. En la medida en que el fin del deseo es la unión con o posesión del objeto de deseo, Narciso no puede desearse, puesto que ya se tiene. Sólo consumando su propia aniquilación podría esperar dar curso a su deseo, si no fuera que su aniquilación es también la aniquilación de su otro especular. La paradoja es inescapable. En esa inescapabilidad se consuma la profecía de Tiresias: la constitución de la identidad de Narciso es su muerte como consecuencia de la imposibilidad de escapar de la identidad. Ahora bien, por otra parte, Narciso reconoce quién es y se desea a sí mismo sólo porque conoce y desea su reflexión especular. Su identidad es así su simulacro, y en ese sentido Narciso no puede conocerse a sí mismo. Por eso su muerte es también su metamorfosis: cambio de identidad, que proyecta al abismo la profecía de Tiresias. La nueva identidad de Narciso asume la problemática irresoluble de la identidad como continuo reflejo especulativo. La flor de Narciso, el narciso, es «una flor con un círculo de blancos pétalos alrededor de un centro amarillo» (3.509-10). En la flor unos pétalos se reflejan continua e interminablemente en los otros en virtud de su eje de constitución. La flor de Narciso, como el sujeto, es una flor especulativa.

La historia de Narciso, como mito de la constitución del sujeto en el sentido descrito, corrobora la relación estásica entre texto e intérprete a la que vengo llamando diferencia discursiva. Tal como Narciso encuentra su identidad en su entenderse en el simulacro, el intérprete constituye el texto como el texto lo constituye a él. El sujeto de la interpretación es

es[...] vamente el sujeto de la creación poética. Sólo hay, desde el
pu[...] vista de la diferencia discursiva, un sujeto de la escritura: el
su[...] (se) desea (en) la confrontación con el texto, y que de hecho
en[...] en esa confrontación su constitución como sujeto simulado.
El[...] quivale a decir que el sujeto que puebla el texto que el intérprete
co[...] sea un mero vacío, una mera posibilidad de imagen, un
me[...] dispuesto a simular sin protesta aquello que provoca el que se
aso[...] contrario, el sujeto que puebla de antemano el texto es siempre
otr[...] el sujeto que a él se asoma. Pero el que se asoma, en el proceso
int[...] vo, se someterá a una identificación narcisista —que no
exc[...] lucha por la territorialidad, y el desplazamiento— según la
lóg[...] acable de la especulación.

[...] de Narciso, al enseñar que el espejo crea para Narciso la
nec[...] de su propia aniquilación, confirma que la diferencia discursiva,
lejo[...] gar la alteridad productora del texto, la exalta. Hay una
per[...] cesidad del intérprete de querer su propia muerte para poder
pen[...] su otredad. Pero esa voluntad de muerte es al mismo tiempo
resi[...] a la muerte: es la transmutación de las identidades previas en el
nue[...] lacro de la flor especulativa.

Los [...] amiento del sujeto: del deseo a la razón tropológica

[...] ferencia discursiva el sujeto de la escritura experimenta su
desp[...] to con respecto de sí mismo y a favor de su fantasma textual.
O i[...] ólo el fantasma textual crea por inversión el concepto de un
«sí n[...] revio a la confrontación con su «otro». Cuando el intérprete
(se) [...] n) la confrontación con el texto, veremos que, como en el
caso [...] rciso, el deseo queda sometido a imperativos lógicos. El
fanta[...] tual, proyección del sujeto en el texto, sólo puede recuperarse,
reflex[...] te, como objeto de razón.

E[...] terpretación, el sujeto desvía necesariamente la expresión
direct[...] deseo hacia la expresión como razón interpretativa. La razón
interp[...] cumple así la función de ejecutora del sujeto deseante, y
esto [...] sentidos: porque, como razón, anula la posibilidad de
expre[...] ecta del deseo, y porque lleva al deseo a expresarse en la
apertu[...] onal —esto es, ejecuta en el doble sentido de «mata» y en el
de «ll[...] o» o «pone en práctica». El doble gesto ejecutor de la razón
en el [...] ecoge la condición doble de todo discurso escrito, abierto
desde [...] ación misma a dos exigencias hermenéuticas: por un lado, la
exigen[...] xamen literal; por otro, la exigencia del examen que llamaré
tropol[...] «tropología» es el estudio de los cambios, transferencias y
despla[...] s del lenguaje, como en la metáfora, la metonimia y el
equívo[...] e otros.

El examen literal supone la muerte del deseo como instancia diferencial en la interpretación. El intérprete asume que no hay ruptura ni desplazamiento entre lo que se dice y lo que se significa. Ambos coinciden. Asume, pues, que el sujeto textual es idéntico con el objeto textual, o asunto del texto, y está plenamente expresado. El examen literal corresponde a la muerte por borramiento del sujeto deseante, forzado a una transfiguración en mero objeto de razón. El examen literal olvida, no sólo la diferencia del deseo, sino también, necesariamente, la identidad diferencial o especulativa entre el sujeto interpretante y su contrapartida textual.

El examen tropológico introduce la sospecha en el movimiento interpretativo. El intérprete analiza la posibilidad de no-coincidencia entre enunciado y significado. Despierto a la diferencia textual y a su carga de angustia, el intérprete busca la cifra retórica del discurso, reconoce ciertamente un sujeto textual activo y persigue las condiciones de su enmascaramiento en el proceso de significación mismo. El sujeto interpretativo percibe su implicación especulativa en el sujeto textual, y debe pensar cómo la significación es un hacerse-signo ejecutante de las tensiones del deseo; cómo el lenguaje desborda la intencionalidad del deseo en la apertura racional; cómo el deseo, al asumir expresión en la escritura, se viste la sábana que lo convierte en su propio fantasma y simulación, en su propia apariencia ya impostora.

El examen literal, perseguido lo suficientemente lejos, acaba siempre por revelar la necesidad del examen tropológico. Sería quizás mejor decir que el examen literal es ya un examen tropológico en el que la tropología se asume como muerte del sujeto textual, es decir, como desplazamiento identificatorio de sujeto y objeto textual. Pero la escritura, en virtud de la diferencia discursiva, no puede agotarse en la autocoincidencia. El lenguaje resiste siempre la identidad sujeto/objeto. Mantiene siempre la diferencia, y por lo tanto permanece abierto al análisis tropológico.

La tropología reconoce de antemano su imposibilidad de rescatar al deseo en forma plena. Busca más bien la ejecución del deseo en la razón, queriendo preservar el carácter doble de esa traza, pero queriendo sobre todo rescatar la diferencialidad de deseo y razón. En la estela de Narciso, el intérprete que se conoce y se quiere tropólogo constata su repetida y perpetua necesidad de muerte y metamorfosis, necesidad estásica, porque se sabe dotado de deseo y de imposibilidad de encontrar su deseo. Marca de Narciso, la estásis de muerte y transfiguración en la reflexión tropológica acarrea lo que llamaré inversión autográfica, atendiendo a inversión como gasto (muerte) y a inversión como capitalización (transfiguración). La autografía es la traza del sujeto en la escritura, inversión que adquiere, que firma una posesión, que da razón de una pertenencia y así de una identidad. En la inversión autográfica deseo y razón encuentran su copertencia estásica. La autografía como razón de pertenencia y como testimonio racional del deseo de posesión es deseo y es razón, pero a la

uno ni lo otro. Narciso queda paralizado por la especulación en
ón racional: no ése, sino yo soy quien aquí aparece; y también:
o otro es quien aparece aquí. Ambas protestas son, y deshacen,
ad de Narciso.

versión autográfica es la instancia del sujeto de la diferencia
. Por la inversión autográfica el sujeto consuma tropológicamente
ución especulativa. Tropológicamente: en los desplazamientos y
cias, en los cambios, equivalencias, metamorfosis y laberintos de
d diferencial que se constituye en la diferencia discursiva.

In   d de simulación y tropología

inversión autográfica el sujeto experimenta su constitución
los desplazamientos entre deseo narcisista y razón interpretativa.
í constituido no alcanza nunca identidad estable. Su identidad,
tiene más bien la forma del simulacro. El fundamento
la escritura reenvía a un sujeto cuyo fondo y fundamento están
entes. A la pregunta por el fundamento ausente de la escritura
regunta por el fundamento del sujeto de la escritura como
¿Qué simula el simulacro? ¿Dónde está su modelo?
a del simulacro parece quedar incompleta a menos de incluir
cia a aquello de lo que se ofrece como espectro —la garantía,
el fundamento, la verdad del simulacro, con respecto de lo cual
o es un mero índice. Se dice que, sea cual sea la condición del
escritura, el sujeto de la escritura sólo llega a ser porque hay
evio que lo ampara. Narciso sólo puede llegar a su predicamento
ciso ya existía. Pero lo que se mantiene aquí es lo opuesto:
entro de Narciso con su imagen produce, precaria y paradojal-
dentidad de Narciso como efecto de la especulación. Sólo la
del sujeto en la interpretación produce, como efecto de
, la postulación de una identidad previa, preexistente a la
n misma. Esa anterioridad sólo puede postularse retrospecti-
n ello, es el simulacro el que produce su propio modelo. El
oduce su propio modelo, y lo produce como su envés, su lado
a tapado pero originalmente presente, el lado derecho, cabal-
o que se invierte en la inversión autográfica. Así la inversión,
nversión, invierte un capital de cuya originariedad no puede
posible. Pero ese capital, al aparecer como tal desde su
arece como siempre ya invertido, ausente como tal, es decir,
o capital fantasmal. El simulacro, como sujeto invertido en la
constituye como habitado en su misma inversión por el
lo que fue antes de la inversión misma. Lo que fue, por lo
conocido desde el simulacro, siempre en su ausencia.

43

La lógica del simulacro y del modelo lleva a un juego de desplazamientos, a una tropología especulativa que puede prolongarse inconclusivamente al infinito. Kant enfrentó el problema de la dualidad como aporía del fenómeno y del noúmeno, y la localizó como tercera antinomia de la razón pura. Hegel construye su sistema especulativo como intento de vencer por la dialéctica tal antinomia. Nietzsche lleva de nuevo la especulación al abismo al determinarla como ella misma producto de la inversión autográfica de un sujeto siempre en busca de una identidad estable. Sin pretender que la aporía pueda resolverse, Severo Sarduy acata la respuesta nietzscheana al afirmar: «Para que todo signifique hay que aceptar que me habita no la dualidad, sino una *intensidad de simulación* que constituye su propio fin, fuera de lo que imita. ¿Qué se simula? La simulación» (*Simulación* 11). Reconoce con ello que la relación diferencial, el juego de la interpretación productora de significados, es previo, y por lo tanto garantiza y fundamenta la copertenencia de los participantes. Intensidad de simulación es el baremo para medir y para determinar lo interpretado tanto como lo interpretante, lo simulado y lo simulante. La intensidad de simulación es el efecto de las tropologías de la diferencia discursiva.

Simulación y muerte 1

Sarduy caracteriza así esa intensidad de simulación que nos habita, el vacío de identidad estable que fundamenta en el abismo toda diferencia:

> Para saber qué simula habrá que ir... hasta ese espacio en que el saber no está en función binaria, ni surge en el intersticio, el magnetismo o la antagonía de los pares de opuestos, sino que, el cuerpo condicionado, sosegado, lo recibe más que lo conquista, sin depreciación de un exterior. (*Simulación* 19).

Es una formulación curiosa desde mi perspectiva, donde en apariencia se remite al espacio de un incomprensible saber no-diferencial, en sí no simulacro sino fuente o modelo de todo simulacro; donde no hay sujeto ni objeto, sino cuerpo en su límite; donde no hay deseo, sino conformidad y sosiego. ¿Cuál es ese espacio? Sin diferenciación, sin bordes sobre los que constituirse, ese espacio parece sostener un ningún-espacio, una ausencia de espacio que para el sujeto supone la muerte. «Sin depredación de un exterior»: pero sin robar exterioridad el cuerpo sólo puede recibir lo que le es radicalmente interno, o lo que está más allá de toda diferencia entre interioridad y exterioridad; sólo puede recibir lo que es más bien autodesprendimiento y donación: la propia muerte. El espacio de la intensidad de simulación está configurado por la muerte.

alegoriza la intuición de ese espacio en términos de las
orientales, en cuyo centro reside «no una presencia plena, dios,
gos, sino una vacuidad germinadora cuya metáfora y simulación
d visible» (20). La relación con la muerte es lo más abiertamente
ese saber de la vacuidad germinadora, saber del desplazamiento
ad con respecto de sí misma, de la diferencia constituyente de
que es necesariamente saber de la muerte porque conoce la
ncelación en el vacío germinal de todo movimiento hacia la
hacia la ausencia. Sarduy recuerda que la diferencia con
la muerte no instituye dos esencias, la muerte y su opuesto,
stá ya siempre instituida, previamente a la formulación de
narismo y también de cualquier unicidad. Está ya siempre
uesto que toda formulación es ya simulación, toma ya en
titución de la realidad como simulación, se constituye en ella.

n Oriente se diría que el saber en sí mismo es un estado del cuerpo,
cir, un ser compuesto, una simulación de ser —de ser *ese* saber—
o hace más que recordar el carácter de simulación de todo ser —al
estarse como *ese* ser. (19)

en que «el saber no está en función binaria» es necesariamente
la máxima intensidad de simulación, donde adviene el saber
o estado del cuerpo; donde el cuerpo reconoce su deseo, no
de muerte, tampoco como deseo de identidad fijada en lo
sino como deseo de identidad diferencial con respecto de la
cir, deseo de continua metamorfosis del simulacro; necesaria
n en flor especulativa del deseo de Narciso. La identidad
pecto de la muerte parece así significar la ley y la necesidad
acro y de toda interpretación.

Simul... muerte 2

En Narciso es a la vez requiriente y requerido, y ese deber lo
rte y a su transfiguración. El doble gesto de Narciso remite
a diferencia discursiva en su inversión autográfica. Por la
gráfica el sujeto a la vez revela y quema su deseo desplazán-
interpretativa. El deseo se invierte como razón. El sujeto
la vez sujeto inversor. Ambos términos se identifican, no
uno al otro, sino haciéndose copertenecientes en tensión
opertenencia estásica de requiriente y requerido en el
de Narciso es lo que lo aniquila, dando así paso a su
El adivino Tiresias profetiza la realización de la coperte-
omo autoconocimiento. Pero entonces el autoconocimiento
rciso como para el intérprete, una necesaria disolución de

45

identidad, la «pérdida» gadameriana, momento de muerte o de realización de la muerte que sin embargo no es final, sino que abre la posibilidad de una nueva identidad especulativa, ya nunca estable, a la que vengo llamando simulacro.

El simulacro es en cierto sentido resistencia a la muerte de la identidad. Es recuperación de la identidad como diferencia. La muerte de la identidad modélica está aquí supuesta y es su condición. En otro sentido, sin embargo, la constitución del sujeto como simulacro es la que, al ser propiamente inversión del sujeto, revela retrospectivamente el modelo del simulacro como presencia fantasmal en el simulacro mismo. Así el simulacro no resiste sino que instituye la posibilidad de la muerte, al estarla siempre afirmando como reverso necesario de su propia constitución. Por eso para Tiresias es fácil decir: «Narciso morirá cuando se conozca a sí mismo». La palabra mántica, dada siempre de manera laberíntica, preserva también en este caso una ambigüedad radical. Narciso se conoce cuando se reconoce en su imagen especulativa. Pierde entonces la identidad que sólo la imagen especulativa, al dar la posibilidad misma de conocimiento, crea. Narciso muere como consecuencia. Pero, por otro lado, Narciso, tomado por el juego de la especulación, reconoce simultáneamente la imposibilidad de conocerse a sí mismo —precisamente él mismo es lo más lejano para él, como tristemente enuncia. Así la profecía de Tiresias permanece verdadera, pero Narciso no muere, porque no puede captarse en identidad estable. Narciso es el nombre de una perpetua transfiguración.

Ethos anthropoi daimon

En el caso de Tiresias, la palabra mántica registra un poder de ambivalencia que conviene a la doble condición que he venido señalando en el término identidad. No extraña: la disciplina mántica en en sí el estudio de la identidad, en términos de destino. Quizá sea legítimo suponer que Heráclito, sacerdote del templo de Artemisa en Efeso, dio exactamente esa definición de adivinación en su aforismo *ethos anthropoi daimon*, que suele traducirse como «el carácter de un hombre en su demonio». Pero *daimon* admite la traducción de «destino», justificada en los diálogos socráticos de Platón y en la concepción que Sócrates tiene de su daimon personal. *Ethos* es, ciertamente, «carácter», como aquello que conforma la identidad de una persona. Sea o no sea que la adivinación toma su base en la concepción del carácter como destino del hombre, el aforismo de Heráclito es todavía pertinente, como se verá, a la interpretación de Narciso y por lo tanto a esta consideración de la constitución del sujeto en la interpretación.

;er glosa, en *Carta sobre el humanismo*, el aforismo de Heráclito
en ...minos:

> *Ethos* significa morada. La palabra nombra la región abierta en la que
> ...ombre mora. La región abierta de su morada permite que aparezca lo
> ...pertenece a la esencia del hombre, y lo que al llegar así reside en su
> ...anía. La morada del hombre contiene y preserva el advenimiento de
> ...ue pertenece al hombre en su esencia. El fragmento dice: El hombre
> ...a, en tanto que es hombre, en la cercanía del dios. («Brief» 354).

...a después la traducción: «La morada (familiar) es para el
...egión abierta para el hacerse presente del dios (el no-familiar)»
...os adviene como lo que ya pertenece. Que lo que ya pertenece
...ueda advenir para el sujeto es pensable sobre la base de la
...ia en la identidad diferencial —la identidad que adviene en el
...diferencial de la escritura, identidad escindida y desplazada,
...orrada y sólo rescatada en esa intensidad de simulación que
...significación a pesar de la vaciedad, incógnita o fantasmagoría
...e. El proceso de significación, el hacerse-signo de una fuerza,
...o de advenimiento de lo que, al advenir, se manifiesta ya
...ro, por otra parte, lo que adviene no puede advenir más que
...encia. El hacerse-signo de algo presupone un lugar vacío, que
...signo en primer lugar señala al ocuparlo. La diferencia entre
...e y lo advenido en el proceso de significación es lo que
...identidad siempre diferencial no sólo de lo que adviene, sino
...aquello para quien el advenir es posible: del dios, como lo no-
...el hombre para quien el dios adviene. Nueva traducción de
...oi daimon: «Lo idéntico es para el hombre lo diferencial». Sin
...raducción encuentra corroboración en otros fragmentos del

«...» vierte lo que Heidegger llama «familiar», *geheuer*, y «diferen-
...familiar», *ungeheuer*. No-familiar significa «extraño a la casa».
...o más extraño a la casa del hombre, y lo que pertenece a su
...:isamente por inversión diferencial, como lo ajeno. El *daimon*
...Esta palabra y su opuesto, *geheuer*, son términos generalmente
...e *unheimlich* y *heimlich*, palabras usadas frecuentemente por
...n el sentido que nos ocupa. Si el *daimon* es *ungeheuer*,
...nheimlich. Pero ambos términos no se agotan en la traducción
...*Heimlich*, como *geheuer*, significa normalmente «casero»,
...ero su contrario añade la condición de productor de angustia.
...rios castellanos, haciéndose cargo de esta última valencia,
...stro», «misterioso», «de mal agüero», «lúgubre», «inquietante».
...eros, en su traducción del estudio de Freud *Das Unheimliche*,
...«lo siniestro», a reserva de dejar con frecuencia la expresión
...en el texto. Yo voy a usar en lo que sigue la palabra

«infamiliar» para indicar no sólo *unheimlich,* sino también el modo de presencia de ese dios adviniente en la constitución del sujeto.

Lo infamiliar cobra una importancia fundamental, no siempre señalada, en los escritos de Freud y Heidegger sobre la constitución del sujeto. Comentar alguno de esos escritos desde la perspectiva de la noción aquí discutida del sujeto especulativo de la interpretación servirá para perseguir con más rigor las cuestiones ya esbozadas: ¿cómo es que la muerte configura el espacio de la intensidad de simulación? ¿Cómo es que la simulación resiste a la muerte creando una diferencia?

Deuda y autenticidad

En *Ser y tiempo* lo infamiliar es asociado por Heidegger con el estado de ánimo angustiado: «En la angustia uno se siente *unheimlich*» (*Sein* 251; 40, 188). Heidegger enfatiza el sentido literal de *unheimlich* como no-en-casa, no-familiar: «La angustia rescata al ser-ahí de su absorción en el mundo. La familiaridad cotidiana queda destruida. El ser-ahí se individualiza *en cuanto* ser-en-el-mundo. «Ser-en» entra en el modo existencial del «no-en-casa» (251; 40, 189). Al extraer al sujeto de su familiaridad con el mundo y arrojarlo al ámbito de lo extraño, la angustia prepara al sujeto para una recuperación radical de un sí mismo al que Heidegger llama *Eigentlichkeit,* «autenticidad». La argumentación es aproximadamente como sigue: El temor es siempre temor de algo pero la angustia es incapaz de encontrar su objeto. ¿Qué es lo que angustia? Nada. El individuo percibe por la angustia su condición radical de individuo, porque la angustia no viene de «afuera», (no) está causada por «nada». Ahora bien, esta «nada» no es la nada. Al contrario, es el todo dentro del cual cualquier cosa se da. Que lo que provoque angustia «no sea nada y no esté en ninguna parte», dice Heidegger, «significa como fenómeno que el mundo en cuanto tal es lo que provoca angustia» (248; 40, 187). Pero para cada uno el mundo es en la medida en que uno existe en él. Por eso lo que provoca angustia es el ser del sujeto en el mundo en cuanto tal. La angustia abre el mundo como lo esencialmente amenazante para el propio ser, aquello infamiliar que no ofrece protección alguna, que en realidad ha retirado toda protección. «La angustia le quita al ser-ahí la posibilidad de entenderse a sí mismo... en términos del «mundo» y de la manera en que las cosas se interpretan públicamente» (249; 40, 187). Pero si el individuo no puede ya entenderse a sí mismo mundanamente, sólo puede volverse hacia un autoentendimiento en términos de su propia potencialidad de ser. Así, «la angustia trae al ser-ahí cara a cara con su ser-libre-para... la autenticidad de su ser» (250; 40, 188).

Autenticidad, del griego *autos,* es mismidad, identidad, propiedad. Hay ciertamente un pensamiento de la identidad diferencial en el Heidegger de

Se ...*mpo,* en la medida en que llegar a la identidad requiere la
si... ...a realización de la ajenidad radical del propio sujeto como ser en
el ... El mundo no se abandona ni puede abandonarse para acceder
a l... ...a identidad porque el sujeto sólo es en cuanto tal en el mundo.
La ... ...ad, como identidad auténtica, es accesible no meramente en el
mu... ...en el sujeto solipsista, sino en la articulación diferencial entre
su... ...mundo, cuando el mundo, lejos de simplemente desaparecer,
ap... ...la radical afirmación de su imposibilidad de garantizar identidad
est... ...uando se retira como morada inauténtica, otorgando así la
po... ...l misma de acceso a la autenticidad. Por eso lo infamiliar revela
est... ...nte la (im)posibilidad de morada. Toda morada está necesaria-
me... ...dida por su ausencia. Lo familiar es, y no es, infamiliar.

...to experimenta el mundo como lo infamiliar cuando el mundo
se ... ...evándose «la posibilidad de entenderse a sí mismo... en términos
del ... ...do"». El sujeto, en la inversión autográfica, reconoce que la
inv... ...no confiere identidad, que la especulación arroja un resultado
cuy... ...er saldo es la pérdida del sujeto mismo y de toda su economía
del ... El comienzo del autoentendimiento en la reflexión interpretativa
inc... ...momento angustioso en el que lo reflectante se hace opaco. El
mu... ...devuelve ya la imagen, sino que la retiene. La especulación
qu... ...celada porque el lugar de la especulación calla. La reticencia
esp... ...a, como momento de la inversión autográfica, establece en
pri... ...ar una deuda de la especulación. Lo adecuado en la reticencia es
el s... ...recisamente porque el sujeto se endeuda en la inversión. En la
ret... ...especulativa el sujeto se autopercibe simultáneamente como
deu... ...omo acreedor de sí mismo. La angustia revela en lo infamiliar
que ... ...to no puede encontrar fuera de sí, en la «nada» que especula, su
aut... ...d. Pero a la vez: sin la experiencia reticente, sin conocer la
deu... ...sujeto en la especulación, sin inversión autográfica, ninguna
aut... ...d es posible. A ello se refiere el narrador de *Metamorfosis*
cua... ...bitiendo la función propiamente infamiliar del adivino, anticipa
a u... ...o todavía ciego la identidad de su inversión:

Pobre tonto, ¿por qué intentas vanamente atrapar fugaces simulacros?
...id frustra simulacra fugacia captas?] La cosa que ves no existe: sólo
...lve de ella tu mirada y perderás lo que amas. Lo que ves no es sino
...ombra dada por tu reflejo. En sí misma no es nada. Viene contigo, y
...a mientras allí estás; se irá cuando te vayas, si es que irte puedes
...32-36).

Na... ...entrar en la lucidez del (re)conocimiento, experimentará la
ver... ...sas palabras.
... ...eculación, al endeudar al sujeto, crea la posibilidad de la
aut... ...d en el reconocimiento mismo de la deuda. El sujeto endeudado
es e... ...invertido. El sujeto auténtico es así el sujeto que no se posee,

que no tiene la propiedad de su potencialidad de ser sí mismo más que empeñada en una especulación siempre reticente. Si la especulación cesara, el sujeto se recuperaría a salvo de la deuda. Poseería entonces todo su ser —pero lo poseería en la cesación radical de toda potencialidad de identidad auténtica. Lo poseería en la muerte. Esta es quizá la razón de que Heidegger prefiera hablar, no de ser auténtico, sino más bien de potencialidad de ser auténtico, a la que llama «resolución» (Entschlossenheit). Hay aquí un desplazamiento de la autenticidad a su posibilidad misma que repite, a mi juicio, el desplazamiento del sujeto a su simulacro que he registrado con el nombre de inversión autográfica. En un momento clave de *Ser y tiempo* Heidegger formula una pregunta en la que está el fundamento para el reconocimiento de la autenticidad como autenticidad especulativa o diferencial, esto es, desplazada en la inversión especulativa del sujeto. Repárese en que, implícita en la formulación de la pregunta, se da algo así como una indagación acerca de la autenticidad de la autenticidad misma: «¿Señala la resolución [es decir, la auténtica potencialidad de ser], en su más propia tendencia existencial de ser, a la resolución anticipatoria como su posibilidad más auténtica?» (400; 61, 302).

El concepto de anticipación (Vorlaufen) llama la atención con claridad al fenómeno del desplazamiento en la autenticidad: lo que se anticipa en la anticipación se desplaza con respecto de sí mismo o del lugar que debe ocupar. Ahora bien, lo que se anticipa en la resolución auténtica es precisamente la muerte, como agotamiento de la más propia potencialidad de ser, como realización final de esa potencialidad, como anulación de toda potencialidad, como total posesión de ser. Por eso, sólo en el desplazamiento diferencial con respecto de la muerte es posible algo así como una identidad auténtica. No puede haber plenitud, porque la muerte como plenitud de la identidad es también, simultáneamente, la total desidentificación. La autenticidad vive, diferencialmente, en la anticipación de la autenticidad. Lo cual equivale a decir: la autenticidad es (todavía) inauténtica. Por supuesto en ese movimiento está también dada la posibilidad de su inversión, su viceversa: la inautenticidad es (ya) auténtica. Así, la diferencia entre lo auténtico y lo inauténtico está, cabalmente, en la posibilidad del pensamiento de ambas instancias en su identidad diferencial.

Freud y la deuda

He venido refiriéndome al mito de Narciso como paradigmático de la condición del sujeto de la interpretación. O debería mejor decir: como simulacro y repetición de la condición del sujeto. Para que la analogía perdure es preciso constatar en la experiencia de constitución del simulacro un paralelo de la transfiguración de Narciso en flor especulativa. Esto

50

su · nterpretar la interpretación como orientada y forzada por la
re · a la muerte —bien entendido que resistencia a la muerte no es
d · fligida a la muerte, sino más bien reconocimiento auténtico de
su · ad.

au · que haya tal reconocimiento es preciso pensar la inversión
lu · a en una doble perspectiva. La inversión autográfica es desde
ta · sfiguración del sujeto deseante en razón interpretativa. Pero es
de · en cuanto inversión en tensión estásica con lo invertido, la traza
id · viviente en la razón. La tropología de deseo y razón instituye la
y · bajo la figura del simulacro, en la continua tensión de presencia
co · de sus términos. La identidad así descrita debe ser percibida
ma · tidad tachada, donde la tachadura, indicio de una muerte, no es
mu · aria que lo tachado, que rige las condiciones, no sólo de esa
dif · no también de su propia perduración tropológica como identidad
ide · . La simultaneidad de la tachadura y de lo tachado crea, en la
la diferencia auténtica.

rad · abra de Tiresias encubre en su ambigüedad una reticencia
aus · te conoces, morirás». Lo no-dicho por Tiresias, el fundamento
mu · la palabra mántica, concierne a la copertenencia de identidad y
gua · entidad y muerte no son idénticas. La adivinación de Tiresias
sim · su reticencia el saber que adquiere Narciso de la identidad como
lo · y de la muerte como transfiguración. Pero al comunicarse como
es, · o, la palabra mántica instituye en el sujeto una necesidad, esto
del · encia y por lo tanto una deuda de interpretación con respecto
con · destino. El destino, *daimon*, adviene en el sujeto como deuda,
eth · *on*: «La morada del hombre contiene y preserva el advenimiento
de · ertenece al hombre en su esencia». Lo preserva como deuda de
lo i · r demoníaco. Lo contiene, silenciosamente, en la angustia de la
anti · a de la muerte.

son · cia, angustia y deuda, al hacer posible la identidad diferencial,
suje · amente anuncio y prueba de una menesterosidad radical del
mer · no menesterosidad en la que toda presencia se hace posterior-
escr · ble, es repetida o simulada en la situación que precede a la
nad · momento en que, antes de haber escritura, no hay literalmente
deb · d insiste en ese fundamento abismal de la escritura: «Hice mi
en a · eratura escribiendo libros para decir que no podía escribir nada
» (Cit. por Derrida, «Force» 18). Derrida comenta así:

> ólo la *ausencia pura* —no la ausencia de esto o de lo otro, sino la
> ncia de todo en la que se anuncia toda presencia— puede *inspirar*, en
> s palabras, *trabajar*, y hacer a uno trabajar. El libro puro está
> ralmente vuelto hacia el oriente de esa ausencia que es, por encima
> r debajo de la genialidad de toda riqueza, su contenido propio y
> ero. («Force» 17).

51

Pero la ausencia es lo presente y puede inspirar porque, en cuanto ausencia y menesterosidad, establece la reclamación de una deuda; quiere ser cubierta.

Freud, en *Más allá del principio del placer*, señala explícitamente la condición de endeudamiento de toda la vida instintiva: «todos los instintos quieren reconstruir algo anterior» (39; 2525). Lo anterior es lo ausente, que exige ser reconstruido. El estilo de Freud en la enunciación de tal principio da ya una indicación de cómo el pensamiento, y por ende la escritura, doblan esa condición de la vida instintiva: «nos atrae la idea de perseguir hasta sus últimas consecuencias la hipótesis de que todos los instintos quieren reconstruir algo anterior» (39; 2525). Freud reconoce su deuda con respecto de la idea misma de endeudamiento; deuda cuyo intento de pago es la elaboración misma de *Más allá del principio del placer* —y cabría sostener que de toda la metapsicología freudiana, como reflexión sobre el marco de la reflexión psicológica. En cuanto estudio de una deuda, la metapsicología se plantea como estudio económico:

> En la teoría psicoanalítica suponemos que el curso de los procesos anímicos es regulado automáticamente por el principio del placer; esto es, creemos que dicho curso tiene su origen en una tensión displaciente, y emprende luego una dirección tal, que su último resultado coincide con una minoración de dicha tensión y, por tanto, con un ahorro de displacer a una producción de placer. Al aplicar esta hipótesis al examen de los procesos anímicos... introducimos en nuestra labor el punto de vista económico. (3; 2507).

La economía psicoanalítica es una economía del placer y del displacer, donde el placer es primariamente el esfuerzo anímico por cubrir la deuda establecida por la tensión displaciente. Derrida, posiblemente pensando en este y otros párrafos semejantes de Freud, subraya ciertos sentidos envueltos en el término «economía» que resultan pertinentes para lo que yo quiero decir y vengo diciendo:

> Economía —la ley del *oikos* (casa, habitación, tumba, cripta), la ley de las reservas, del reservar, de los ahorros, del ahorrar: inversión, reversión, revolución de "valores"... en la ley del *oikos* (*Heimlichkeit/Unheimlichkeit*). («Living» 76).

La economía es efectivamente el estudio de las regulaciones existentes entre lo que de alguna manera pertenece a la casa y lo que es ajeno a ella: estudio del intercambio y de las relaciones de intercambio, y por lo mismo también estudio de equivalencias y heterogeneidades, identidades y diferencias económicas. Cuando la economía es economía anímica se hace conveniente la reducción de la metáfora: *oikos* es *ethos*. La casa se traduce como *ethos* en la medida en que el *ethos*, según la determinación heic...na, incluye la totalidad de las pertenencias anímicas del sujeto. Lo... la casa se contempla económicamente en atención a los mec... reguladores del contacto y la interpretación con lo propio de la c...na. Freud establece esa regulación en términos de la relación plac...cer; esto es, el principio del placer funciona como mecanismo regu...Qué significa entonces el «más allá» del título? Freud promete en a...a señalar una importante instancia de la vida anímica que no está...la regulación económica; es decir, que es totalmente ajena al *ethos*...*ikos,* que no entra en relación de intercambio con ello, que perm...radicalmente, fuera. Tenemos que cuestionar ese radical desplaza...anímico —desplazamiento en primer lugar de la vida anímica con...de sí misma; pérdida de lugar o encuentro con el abismo. La ley...lo familiar, enfrentaría no ya sólo su diferencia, sino su funda...oposición, en la ley demoníaca de lo infamiliar:

> ...quellas manifestaciones de una obsesión de repetición que hemos ...o en las tempranas actividades de la vida anímica infantil y en los ...ntes de la cura psicoanalítica muestran un alto grado de carácter ...tivo y, cuando se hallan en oposición al principio del placer, ...íaco. (36; 2524).

En...ncia, pues, Freud construye una reflexión que aboca a la negaci...forismo heraclíteo: *ethos ouk'anthropoi daimon.*

Deuda...nto de muerte

Fre...ubre en la obsesión de repetición la traza de un instinto de muerte...más allá del principio del placer, regiría nuestra vida instint...nsiderando el juego *«fort/da»* de un niño, que simulaba la ausenc...lta de su madre mediante la estrategia de hacer desaparecer y lueg...arecer uno de jus juguetes, Freud se pregunta por la signific...nigmática del hecho de que el pequeño interrumpa con frecuen...roceso de reaparición. El placer del niño, juzga Freud, está sin du...sa reaparición que él mismo insiste en escamotearse. El enigma...e en que el niño repite con asiduidad el suceso para él desagra...por lo tanto su comportamiento parece obedecer a una econom...nte de la economía del placer: «creemos comprender que el niño re...l suceso desagradable porque con ello consigue dominar la violenta...ión, experimentada mucho más completamente de lo que le fue po...recibirla. Cada nueva repetición parece perfeccionar el deseado...io» (36; 2524). Ahora bien, la pregunta persiste: ¿qué motiva...sidad de dominio de lo desagradable *en cuanto* desagradable? Freu...sifica su respuesta atendiendo a razones que podemos llamar f...cas y ontogenéticas. Filogenéticamente:

El que el fin de la vida fuera un estado no alcanzado nunca anteriormente estaría en contradicción con la naturaleza, conservadora de los instintos. Dicho fin tiene más bien que ser un estado antiguo, un estado de partida que lo animado abandonó alguna vez y hacia lo que tiende por todos los rodeos de la evolución. Si como experiencia, sin excepción alguna, tenemos que aceptar que todo lo viviente muere por fundamentos *internos,* volviendo a lo anorgánico podemos decir: la meta de toda vida es la muerte. Y con igual fundamento: lo inanimado era antes que lo animado. (40; 2526).

Esto es, para Freud, la vida orgánica manifiesta en todo su desarrollo una nostalgia de lo inorgánico que es por supuesto nostalgia de la propia muerte. El instinto es así, filogenéticamente, una ley entrópica: busca la reconstrucción del estado previo a su ser como medio de construir el ser mismo; tiende hacia la muerte, y esa tendencia de muerte conforma el itinerario de la vida.

El instinto regulador de toda la vida orgánica es por lo tanto un instinto de-constructor. Lo deconstruido es, simultáneamente, la propia vida y la propia muerte; o mejor, la propia vida en la propia muerte y viceversa. Y ese concepto de propiedad —ipseidad, identidad, autenticidad— está garantizado ya en el concepto de organismo que lo sostiene. «Organismo» define un conjunto estructural separado de otros, que (se) tiene (en) su propia estructura. A esta luz debe redefinirse el instinto clásico de conservación:

El instinto de conservación, que reconocemos en todo ser viviente, se halla en curiosa contradicción con la hipótesis de que la total vida instintiva sirve para llevar el ser viviente hacia la muerte. La importancia teórica de los instintos de conservación y de poder se hace más pequeña vista a esta luz: son instintos parciales, destinados a asegurar al organismo su peculiar camino hacia la muerte y a mantener alejadas todas las posibilidades no inmanentes de retorno a lo anorgánico. Pero la misteriosa e inexplicable tendencia del organismo a afirmarse en contra del mundo entero desaparece, y sólo queda el hecho de que el organismo no quiere morir sino a su manera. (41; 2526).

La respuesta desde el punto de vista ontogenético sustituye la llamada anorganicidad inicial por un «suceso primario» que el instinto trataría siempre de reconstruir. En seguida veremos cuál puede ser tal suceso. De momento me interesa subrayar cómo Freud vuelve a explicar la vida instintiva según la economía placer/displacer, en el mismo momento en que intenta satisfacer la pregunta por la motivación del instinto de muerte en el individuo. Hay aquí una disyunción en el texto de Freud que puede calificarse de tropológica. El desplazamiento consiste en negar que la economía del placer someta primeramente el instinto de muerte, como mejor medio de llegar a la afirmación contraria. La economía del placer,

pien[...]d, retorna para subsumir en sí aquello que ocasionó su primera
disr[...] El procedimiento es similar al que rige la economía de *ethos*
anth[...]*aimon*, donde la identificación de ambos términos presupone
una [...]cia previa que le da paradójicamente su sentido. Placer y
mue[...]uestran así, en el abismo textual freudiano, como un nuevo
avat[...]e o simulacro, de la relación de identidad diferencial. Y Freud
revel[...]erdaderamente su reflexión no se aparta de la lógica rebelde
inaug[...]or Heráclito en Occidente. Este es el texto donde sustento
estos[...]arios:

> [...] instinto reprimido no cesa nunca de aspirar a su total satisfacción,
> [...]onsistiría en la repetición de un satisfactorio suceso primario. To-
> [...]s formaciones sustitutivas o reactivas y las sublimaciones son insu-
> [...]tes para hacer cesar su permanente tensión. De la diferencia entre el
> [...] de satisfacción hallado y el exigido surge el factor impulsor, que
> [...]rmite la detención en ninguna de las situaciones presentes sino
> [...]"tiende indomado siempre hacia delante" (*Fausto* I). (44-45; 2528).

La[...]cia freudiana entre lo hallado y lo exigido es el motor de la
econo[...]mica. Lo exigido es el cubrimiento de una deuda. La deuda
es la [...] continuamente renovada por el movimiento deconstructor
del in[...]esforzado siempre por reconstruir un «suceso primario»
identif[...]n la filogenia con la inercia de la vida anorgánica. Pero la
repetic[...]suceso primario, como medio de su reconstrucción, debe en
sí repe[...]lefinidamente. Reconstruir la muerte propia es por lo tanto
afirma[...]. El «factor impulsor» freudiano, al querer la muerte como
muerte[...]quiere también la incesante construcción de la propia vida.
La ide[...]es así, aun siendo identidad de la muerte, diferencia con
respect[...]muerte propia. El descubrimiento de Freud confirma la
extraor[...]exactitud del término «economía», cuya raíz griega, *oikos*,
signific[...]a» al tiempo que «morada». La economía anímica es ley de
la vida[...]e la muerte, y ley también de la inversión y reversión de
ambas i[...]s. Todo ello confirma asimismo la precisión de la equiva-
lencia a[...]que Freud comenta: «*heimlich* es una voz cuya acepción
evoluci[...]a la ambivalencia, hasta que termina por coincidir con la de
su antít[...]*heimlich*» (*Unheimliche* 237; 2488). *Ethos* es, precisamente,
daimon.[...]orada del sujeto es su endeudamiento continuo con su
muerte.

El rever[...] inversión

El su[...]euda la muerte. La deuda del sujeto determina, en el movimiento[...]etativo, su inversión autográfica. El sujeto se construye en
el cubrin[...]e la deuda de su propia muerte. La inversión, al cubrir la

deuda, no la agota, sino que la renueva indefinidamente al crear réditos menesterosos de una nueva inversión. La inversión autográfica es así muerte y es transfiguración del sujeto.

El sujeto, constituido como simulacro de su propia muerte, vive en la continua reducción a fantasma de su identidad. Por eso el sujeto es autoausencia tanto como autopresencia. Su identidad es perpetuo desplazamiento diferencial con respecto de sí misma. Por eso la identidad diferencial, siendo diferencia, no deja de constituir identidad.

La muerte es el fundamento ausente del sujeto y, como tal, instancia de la deuda de fundamento. El simulacro adeuda un modelo presente/ausente como la propia muerte. Freud identifica la deuda en el fundamento de constitución del sujeto como memoria de un suceso primario. El suceso primario configura en el sujeto una pulsión de muerte que es al mismo tiempo afirmación de vida. La vida se desenvuelve en el intento de repetición del suceso primario. Lograr su reconstrucción, si fuera posible al individuo, consumaría una «vuelta a casa» según la economía del placer: suprimiría toda angustia en la perfecta aniquilación del displacer. Volver a casa es tornar a lo familiar. Pero lo familiar, para el que vive lejos, es precisamente lo perdido. El retorno puede revelarlo como lo más radicalmente infamiliar.

En *Das Unheimliche* Freud localiza lo infamiliar como una de las formas del retorno de lo reprimido. Lo familiar a la vida psíquica se torna extraño mediante el proceso de la represión, y al retornar produce angustia. La angustia es así la respuesta emocional al retorno de lo desfamiliarizado por la represión. El paso de *ethos* a *daimon* es metaforizado por Freud también como paso de divinidad familiar a divinidad siniestra: «así como los dioses se tornan demonios una vez caídas sus religiones» (248; 2495). En este proceso de represión y retorno Freud presta particular atención al llamado «retorno de lo semejante», vinculándolo a un «narcisismo primario» de importancia original en la constitución del sujeto psicoanalítico. El sujeto protonarcisista es aquel que todavía no conoce la reflexión especulativa como infamiliar: Narciso ciego a la verdad de su imagen. Freud cita el estudio de Otto Rank, *El doble*, para indicar cómo nociones como la de alma fueron «primitivamente» medios de asegurar la resistencia a la muerte, esto es, medios de conjurar la destrucción del sujeto. El narcisismo que Freud llama secundario es el que el sujeto desarrolla mediante la adquisición de la «conciencia». La conciencia despierta al sujeto a la visión de la reflexividad («ese soy yo»), y equivale al autoconocimiento profetizado por Tiresias para Narciso. La conciencia es un retorno de lo semejante que supone el trabajo de la represión, y por lo tanto la entrada del sujeto en el reino de lo infamiliar. A partir de entonces el sujeto proyecta en su doble, o simulacro, no sólo los contenidos positivos, resistentes a la muerte, pertenecientes a la fase protonarcisista, sino también

s las posibilidades de nuestra existencia que no han hallado realización
e la imaginación no se resigna a abandonar, todas las aspiraciones del
ue no pudieron cumplirse a causa de adversas circunstancias exteriores,
omo todas las decisiones volitivas coartadas que han producido la
ón del libre albedrío. (248; 2494).

s últimas palabras Freud señala la totalidad potencial de cons-
tituc   sujeto interpretativo como simulacro en la inversión autográfica.
La i   ación de la conciencia narcisista desarrollada crea al sujeto
como   cro en toda la vastedad de sus proyecciones deseantes sobre
lo q   sido en lo que fue. Así el sujeto se constituye sobre un fun-
dame   ente.

P   Freud la temática de la constitución del sujeto simulado
como   o de lo semejante no encuentra su lugar primario en la
forma   la conciencia. Digamos que la mayor intensidad de simulación,
y por   o la mayor carga de angustia, pertenece desde el punto de
vista   o mismo al estadio previo al de la constitución del sujeto. Es
decir,   to proyecta su simulación con mayor intensidad hacia el
mome   evio al de su propia constitución, que es el momento
radical   enesteroso de sujeto, el momento del cabalmente denominado
suceso   io:

chos otorgarían la corona de lo siniestro a la idea de ser
dos vivos en estado de catalepsia, pero el psicoanálisis nos ha
lo que esta terrible fantasía sólo es la transformación de otra que
origen nada tuvo de espantoso, sino que, por el contrario, se
a en cierta voluptuosidad: la fantasía de vivir en el vientre
. (257; 2499).

La   on de vida y muerte domina el terror cataléptico: terrible
equívoc   s para Freud consecuencia de la represión de un equívoco
paralelo   esta vez voluptuoso: vivir en la amniosis materna, vivir
antes d   nacido. Así la mayor angustia, «corona de lo siniestro», el
terror c   co, revela en su reverso el lugar y la naturaleza del suceso
primari   otiva la ontogénesis del instinto de muerte, puesto que
muerte   el sujeto el retorno al estado previo al de la posibilidad
misma   stitución: el nacimiento.

La f   e vida intrauterina no es en sí espantosa. Lo espantoso es
lo que e   ntasía debe estar reprimido, y que retorna como semejante
en el ter   léptico, confusión de vida y muerte. El terror cataléptico
es el ter   enterrado en vida. Se puede suponer que, como reverso
de la an   cataléptica, como modelo desplazado por la labor de la
represión   origen abismal de toda angustia y de toda tropología,
como re   todo posible equívoco entre vida y muerte, el suceso

primario sea, no el hecho de haber vivido en el vientre materno, sino aquello que revela en su ocurrencia ese «haber vivido» como siempre de antemano y ya imposible: el pasaje de la amniosis a lo abierto, de la oclusión a la oquedad, el pasaje a través de la angostura vaginal, el nacimiento. En cuanto pasaje, el nacimiento como suceso primario establece la identificación diferencial, la copertenencia estásica de lo familiar y lo infamiliar. Lo reprimido que retorna es angustioso, según la definición de Freud, porque toda angustia debe medirse por su intensidad de simulación con respecto de la angustia experimentada en el paso angosto del nacimiento.

Lacan llama «fase del espejo» a un momento genético fundamental de la identidad del sujeto. Como Narciso, el niño percibe, según Lacan, «en la imagen del semejante o en su propia imagen especular una forma en la cual anticipa... una unidad corporal que objetivamente le falta: se identifica con esta imagen» (Laplanche-Pontalis, «Stade du miroir», *Vocabulaire*). La autoidentificación del sujeto con su simulacro es para Lacan la que crea en primer lugar tal sujeto, de tal manera que el yo es siempre su otredad y la otredad es siempre un alter ego. La experiencia del espejo es la que hace surgir retroactivamente, la que hace repetir la vivencia del pasaje angosto. El sujeto conoce entonces, en esa repetición que cancela y transfigura, el fantasma del cuerpo roto, despedazado en el sometimiento angustioso al estreñimiento del canal vaginal. Conoce su cuerpo roto al conocer su cuerpo reconstruido en el simulacro especular.

El suceso primario es en sí el reverso del terror cataléptico como reverso del terror al despedazamiento de la identidad. Es reconstruible sólo por referencia al otro lado de la inversión, que siempre permanece oculto o que sólo aparece como fantasma. La constitución misma del suceso primario como ruptura y pasaje diferencial impide su entronización modélica en términos de presencia trascendental. El suceso primario es también ausencia tanto como presencia. El pasaje angosto, en cuanto lo simulado en el terror cataléptico, es sólo posible como deuda de muerte, como fundamento ausente, como abismo de la constitución del sujeto.

El pasaje especulativo

Para Derrida, como cité al final del primer capítulo, el objeto de la interpretación literaria es el «pasaje a la determinación de la obra como disfraz del origen». La interpretación interpreta un pasaje cuyo signo es el del disfraz, el de la simulación, pero no el de la simulación sin más, sino respecto de su origen. Lo que *pasa* en ese pasaje, y por lo tanto el objeto de la inversión interpretativa, es para Derrida concebible en términos de determinación de una simulación. La simulación aparece así como la

...una fuerza original. En tanto siempre de antemano invertido en la figura, el origen no se rescata en cuanto tal. El modelo del simulacro aparece, en el simulacro, sólo especulativamente. Por eso el origen no es posible ni pensable más que bajo el disfraz». La determinación de la figura como disfraz del origen es la constitución del simulacro. Pero la instancia interpretativa no se ejerce en el simulacro, sino en el pasaje al simulacro. Cabe preguntarse por esta noción de pasaje, pero ahora como pasaje discursivo, en donde se articula la diferencia entre poesía e interpretación.

En el pasaje discursivo se repite el terror del nacimiento. El sujeto constituido en la diferencia discursiva es el sujeto que encuentra su simulacro y se encuentra en él, retrospectivamente, en la diferencia entre discurso poético y discurso interpretativo. Retrospectivamente: tras el pasaje. Cuando se experimenta el simulacro se experimenta simultáneamente el cuerpo despedazado, el sujeto roto por la presión astringente del pasaje. En la ruptura del sujeto nace proyectado el nuevo sujeto, consecuencia de la diferencia poética que, para la interpretación, impone una deuda, muerte sólo pagable en la inversión metamórfica.

De la interpretación el simulacro es la apropiación tropológica de la poesía. El sujeto interpretante se invierte en el discurso poético para emanciparse de la deuda situacional de la que parte. La emancipación autogestora es así muerte y es transfiguración: muerte de una previa identidad contingente, en sí producto de tantas tropologías previas, de tantas intenciones de la diferencia; y transfiguración en una nueva identidad a la vez contingente y situacional. A pesar de todo, muerte propia, por lo tanto propia transfiguración: de la propia identidad a la propia figuración. Entre ambas, un pasaje, una deuda. La deuda establece la necesidad del pasaje; el pasaje, la inevitabilidad de la deuda. El pasaje es pasaje hacia la identidad. La deuda es deuda de identidad. Pasaje y deuda tienen relación de preeminencia. Se copertenecen. Su relación no es de identidad fundamentativa, sino diferencial: identidad especulativa, como la que liga a Narciso con su simulacro, y en última instancia crea su flor.

Siguiendo la definición gadameriana de especulación, al principio de este capítulo propuse caracterizar la diferencia discursiva como diferencia especulativa. El discurso poético expresaría una relación con su fundamento ausente como el sentido mentado de la poesía, y una relación con el discurso interpretativo como relación con la totalidad del mundo; a su vez, el discurso interpretativo tendría al discurso poético como sentido mentado y su fundamento ausente sería la totalidad del mundo. Ahora vemos que el fondo de esa especulación está en el pasaje de la diferencia discursiva. El pasaje de la diferencia discursiva, de poesía a interpretación y de interpretación a poesía, es ciertamente pasaje a través del espejo. Un pasaje cuya estrecha vía coincide con la angustia del sujeto, puesto que no existe previa a ella, sino que se forma en la irrupción: pasaje espacio que no es sino pasaje acción.

La acción de pasaje funda ella misma, no la poesía y la interpretación, sino la relación especulativa entre ambas. Por lo tanto funda también, como especulación, la contraposición entre lo mentado y lo no-mentado; entre fundamento y totalidad; entre toda forma de presencia y toda forma de ausencia; entre todo modelo y todo simulacro. Pero es una contraposición peculiar. Lejos de establecer valores opuestos, liquida la oposición. La liquida en la fluidez dura del acto de pasaje. Al liquidar la oposición de las instancias opuestas, quebranta también la fe en ella, que es para Nietzsche «la fe fundamental de los metafísicos» (*Jenseits* 10). Pero ello no es desde luego todavía liquidar la metafísica.

Queda algo por añadir. Atañe a la metáfora misma del espejo, de la que me he estado sirviendo por su relación etimológica con especulación y por su relación metonímica con el agua que especula la imagen de Narciso. Puede ser que la noción de espejo esté demasiado contaminada por la tradición que lo convierte en un mero repetidor de lo igual. El espejo como modelo de la especulación es el negador y el reventador de toda diferencia. O todavía mejor: es el que permite el supuesto reconocimiento de la diferencia mediante la confrontación verdadera de lo idéntico consigo mismo. Todo lo que se aparta, pero sólo lo que se aparta, de la reflexión especular es diferente. La reflexión especular en sí testificaría sólo de la identidad. Y es cabalmente lo aespeculativo como tal lo que participa en una relación de diferencia. Puede ser que mi utilización de espejos, aunque sólo figurativa, haya arruinado desde el principio la tentativa de invertir las nociones de identidad y diferencia, de modelo y simulacro, de inversión y de oposición. Puede ser, pero no tiene que ser así.

Establecer la diferencia como prevalente en el reino de la especulación no es un medio para invertir la jerarquía tradicional, otorgándole ahora a la identidad un puesto de subordinación. La posición diferencial, allí donde está, y aunque se afirme estratégicamente como prevalente, cancela la estructura de jerarquización por lo mismo que abre un abismo en el que ninguna primordialidad es posible. La inversión no tiene que ser sólo poner cabeza abajo. También es un gesto económico de gasto y capitalización de la identidad en la diferencia, y viceversa.

El espejo entonces no es aquello que opone modelo y copia, no es el lugar de la mímesis siquiera para Narciso. Porque no es un lugar de oposición, sino el signo de una deuda, la región de un pasaje, todo aquello que se expresa en la barra de articulación tan precaria entre lo familiar y lo infamiliar. La acción de pasaje, al crear ella misma la fisura en la superficie especular, acaba por hacer estallar el espejo mismo. La especulación fundada tras el pasaje no es especulación entre dos identidades, aunque sean dos identidades simuladas. Es más bien una especulación sobre el abismo, especulación de valores deudores y adeudados, sin fondos

pa   irse, que, lejos de establecerse en el espacio abierto por las
có   nociones aprendidas de poesía e interpretación, de sujeto y
ob   · identidad y diferencia, las inscribe a todas dentro de sí, y por
lo   o es determinable ni comprensible desde ellas.

D   cia interpretativa

Es   a de la interpretación

            tulo anterior quedó necesariamente lejos de haber alcanzado
nir   eterminación de la esencia del sujeto de la interpretación, aun a
pes   u consideración bajo la forma de estructura especulativa. Bien
ent   precisamente, que la especulación del sujeto es lo que se puso
en   Pero el juego pareció acabarse en la final detrucción de la
sup   especular. Si el espejo es en último término el fondo propio de
la   ción, romper el espejo es abrir un abismo en el que la especu-
lac   precipita. Precipitar la especulación —¿no será esa la auténtica
inv   el sujeto interpretante, el gasto radical más allá de todo ahorro
y d   uesta a buen recaudo? Pero por otro lado, y por seguir el saber
eco   ¿no es precisamente la inversión, a pesar de su gran peligro o
má   or su gran peligro de pérdida final de fondos, no es la inversión
la   osibilidad de salvación y rentabilidad del capital, la acción
me   a cual la deuda queda diferida a más y más largo plazo?
            tulo anterior se ocupó del sujeto de la interpretación a propó-
sito   liferencia entre el discurso poético y el discurso interpretativo.
Est   ncia acabó por delimitar un abismo para la constitución del sujeto   eto de la interpretación, constituido en la diferencia entre poesía   retación, es un sujeto invertido en el abismo. La inversión en
la   a simultáneamente produce al sujeto y precipita al sujeto en la
des   ción, en el aniquilamiento. Ese es el tema paradojal y casi im-
pen   Narciso. Narciso, que nace y muere en deuda de identidad, no
pue   ucirse, ni cesar, más que como simulacro. Y simulacro significa
tam   peculación de lo propiamente sin fondo, sin identidad, cuyo
orig   uede estar más que en la deuda de fondo y de identidad que
lo l   oducirse. La diferencia entre poesía e interpretación guarda esa
deu   naria que reclama y destruye al sujeto, constituyéndolo.

sup   la expresión «sujeto de la interpretación» pareció tomarse por
inte   segundo término, interpretación, igual que la «poesía» que la
poé   ón interpreta está por el momento inexplicada. Del discurso
           de su diferencia específica entre literalidad y significado, se

ocupará el capítulo cuarto. Este tercer capítulo vierte en el discurso interpretativo. Examinaré la llamada «diferencia interpretativa». Diferencia interpretativa mienta un doble en la estructura misma de la interpretación. No es que haya dos formas de interpretación, ni dos interpretaciones posibles con respecto de todo objeto de interpretación, sino que toda interpretación debe reconocerse en sí misma como doblada en su identidad, so pena de no conocerse en absoluto. Veremos qué se entiende por estructura doble de la interpretación, y en qué sentido tal doblez es diferencial —y dejemos por el momento resonar simplemente en «doblez» el significado de simulación, disimulación, duplicidad, inversión de la verdad.

Si la interpretación es doble y está doblada, eso significa preliminarmente que hay una diferencia interpretativa en la que se constituye tal doblez. Sin diferencia no habría sino absoluta unicidad. La diferencia interpretativa constituye el lugar de la interpretación, entendiendo por lugar la instancia de su fundamento. Pero para que un lugar sea posible debe haber lindes que lo establezcan. Las lindes de la interpretación son los términos que se copertenecen en la diferencia interpretativa. Gadamer los señala como «familiaridad» *(Vertrautheit)* y «extrañeza» *(Fremdheit):*

> La posición entre extrañeza y familiaridad que lo transmitido tiene para nosotros es el «entre» entre la objetividad separada, históricamente intencionada, y la pertenencia a una tradición. En este «entre» está el verdadero lugar de la hermenéutica. *(Wahrheit* 279).

El «entre» hermenéutico debe entenderse como un quicio diferencial, un no-lugar que sin embargo funda el lugar de una articulación. Lo que se articula, y al articularse se deslinda y delimita, es lo extraño y lo familiar. El entre de la interpretación media extrañeza y familiaridad y, al mediar entre ellas, las deja aparecer en cuanto tales, igual que un deslinde de tierras es el que en primer lugar establece, funda, la propiedad —la identidad— de lo colindante: los fundos, las heredades. Sin el gesto geodésico de la interpretación extrañeza y familiaridad se con-funden y equi-vocan: pierden, o más bien no alcanzan a descubrir, su barra de articulación. La diferencia interpretativa es definible como lo sostenido en el hecho de que la interpretación es una mediación que siempre de antemano articula y trae a la luz la diferencia misma entre lo familiar y lo extraño. La interpretación es siempre necesariamente diferencia interpretativa, y no se da al margen de ella porque no puede darse al margen del lugar de su propia constitución. Tampoco hay margen de lo que en sí hace la noción de margen posible, al dar todo límite.

Gadamer vincula en la cita la diferencia interpretativa a la historia. La situación hermenéutica es un entre histórico no sólo porque lo que se interpreta es una «objetividad» históricamente intencionada, sino porque el sujeto de la interpretación es, él mismo, histórico y pertenece a la

...omo tradición. Pero el deslinde que compete a la situación
...ica es histórico no sólo porque ocurre y se lleva a cabo dentro
...oria, sino también —y primariamente— porque tal deslinde
... esencialmente la posibilidad misma de la historia. Hay historia
...y deslinde interpretativo —porque hay diferencia. Conviene
...este sentido temporal —y temporalizante— de la diferencia, en
...ancia porque de él depende una clarificación adecuada de lo que
... la estructura doble de la interpretación.

...ósito de su explicación de *différance* Derrida llama la atención
...entido temporal del verbo latino *differre,* el «diferir» cuyo
...nominal puede ser tanto «diferencia», como «diferimiento,
...ón». Diferencia en su sentido filosófico tradicional, el consagrado
...*erein* griego, indica una alteridad, la alteridad de lo disímil, de
... lo discernible:

cuestión de alteridad de desemejanza o de alteridad de alergia y de
...émica, es necesario que entre los elementos [que difieren] se produzca
...vamente, dinámicamente, y con una cierta perseverancia en la repeti-
..., intervalo, distancia, *espaciamiento.* («Différance» 8).

...tro sentido coimplicado en *differre* se hace patente la acción de
...operación que implica «un cálculo económico, un desvío, un
... reserva, una representación, todos conceptos que resumiré
...abra... *temporización*» («Différance» 8). Lo enfatizado por
...esta dilucidación es la imposibilidad de entender, a partir de la
... de *differre,* la diferencia en términos de presencia. Todavía en
...os elementos que difieren en la diferencia se articulan con
... su presencia opuesta o distanciada. Pero *differre* descubre en
...na dimensión oculta: lo que difiere, difiere en primer lugar a
... un eje de temporización en el que la presencia, por ser
...te invocada, es inmediatamente también desmentida o despla-
...a.

...mente en cuanto ejemplo de lo anterior Derrida comenta la
...plicada en el concepto clásico de signo:

l signo, se dice corrientemente, se pone en el lugar de la cosa
...a, de la cosa presente, "cosa" valiendo aquí tanto como sentido
...o cuanto referencia. El signo representa lo presente en su ausencia.
...a lugar. Cuando no podemos tomar o mostrar la cosa, digamos el
...nte, el ente-presente, cuando el presente no se presenta, significamos,
...mos el rodeo del signo. Tomamos o damos un signo. Hacemos un
.... El signo sería entonces la presencia diferida... [L]a estructura
...amente determinada del signo... presupone que el signo, difiriendo
...esencia, no es pensable más que *a partir* de la presencia que difiere

y en vista de la presencia diferida que se tienen miras a reapropiar («Différance» 9).

A este concepto clásico Derrida opone la noción saussuriana de signo como carácter diferencial, que reduce absolutamente la noción de presencia diferida: «lo significado nunca está presente en sí mismo, en una presencia suficiente que no reenviaría más que a sí misma. Todo concepto está de derecho y esencialmente inscrito en una cadena o en un sistema en el interior del cual reenvía al otro, a los otros conceptos, por juego sistemático de diferencias» («Différance» 11). La comparación de ambas teorías del signo expone la estructura diferencial en su doble valor de espaciamiento y temporización. Por el mero hecho de hacerlo desplaza la hegemonía de la presencia: el presente, de ser la categoría fundamental para todo pensamiento, incluido el pensamiento de la diferencia como *diapherein*, viene a ser uno entre los varios éxtasis de la temporalidad, éxtasis cuyo extraño origen está sin duda mentado por *differre*, explosión de la temporalidad diferencial. La diferencia como deslinde temporal abre la historia porque abre la posibilidad misma de historia: la historialidad, como temporalización de la diferencia.

Decir que la historialidad es temporalización de la diferencia no es sin más definir la condición de posibilidad de la historia en general: es ante todo definir la condición de posibilidad de *nuestra* historia, por lo mismo que sólo nuestra historia conoce la caída, el acabamiento histórico de la metafísica de la presencia y su necesaria sustitución por un pensamiento diferente. La diferencia es historial, es decir, nuestra historia tiene necesidad de la diferencia y encuentra en ella su libertad histórica. La historialidad de la diferencia hoy es la necesidad de consumar el pasaje desde la metafísica hacia un lugar otro que la metafísica. Pero la otredad no puede aquí concebirse como mera inversión, porque la inversión pone cabeza abajo, pero no altera lo invertido: «La antimetafísica y la inversión de la metafísica pero también la defensa de la metafísica hasta ahora practicada forman una sola y misma maquinación» (Heidegger, *Nietzsche* 2: 384). Asimismo y por lo tanto, la inversión del sujeto de la interpretación, si va a adecuarse a la diferencia interpretativa, debe dar paso, y lugar, a una metamorfosis.

La estructura doble de la interpretación debe tener carácter historial: debe asimilarse a la necesidad diferencial que critica y desplaza toda metafísica de la presencia. Si la situación hermenéutica es la posición entre familiaridad y extrañeza, doblar la interpretación, concebirla doblada, debe de entrada querer decir: ni solamente buscar la constitución de familiaridad con respecto de cualquier discurso dado, ni meramente buscar el mantenimiento afirmativo de la extrañeza o ajenidad en ello. Si la familiaridad se relaciona con la presencia cercana de lo propio y la extrañeza con la lejanía y la distancia, familiaridad y extrañeza están aún ligadas estructuralmente

ón a la presencia, aunque la segunda lo esté bajo la forma
...e nostalgia o separación de ella. Buscar la extrañeza es, como
...exilio, siempre una afirmación invertida de la necesidad de
...alternativa entre un par de opuestos no rinde la diferencia, sino
...ra recurrencia de lo idéntico. ¿Cómo encontrar el pasaje hacia la
...erpretativa? Pero si es cierto que la estructura doble de la
...ión tiene carácter historial y pertenece a nuestra época metafísica,
...la metafísica, entonces ya estamos en el pasaje y ya experimen-
...angustia. Importa sólo explicitarla.

...o Heidegger en *Ser y tiempo* se prepara a examinar la cuestión
...rialidad encuentra que para ello es necesario volver sobre la
...sujeto. El sujeto historial es aquel que «repite» historialmente
...n, de manera que en esa repetición se hacen manifiestas sus
...es de existencia auténtica. «La repetición es la explicitación de
...n *(die ausdrückliche Uberlieferung)*» (509; 74, 385). En esa
...n de la herencia tal como está dada historialmente llega el
...la simplicidad de su destino» (508; 74, 384).

...*erung* es lo que Gadamer define como posición entre extrañeza
...d en las palabras antes citadas. Para Heidegger el reconocimiento
...de la posición historial pasa por una confrontación con la
...a resolución anticipatoria. La anticipación de la muerte es a su
...imiento de su deuda. La angustia de pasaje entre lo familiar y
...angustia de repetición de la tradición, es necesariamente
...e la deuda historial del sujeto, aquello en lo que el sujeto
...icipa su propia muerte. La pregunta propia es entonces: ¿cómo
...sujeto su muerte en la época del fin de la metafísica? Puede
...así: ¿cuál es el fin del sujeto metafísico? Y ¿qué puede
...tonces el pasaje a un nuevo nacimiento? A la luz de lo visto
...lo anterior esta pregunta es la pregunta por la muerte y
...ón de un Narciso historial. Sólo en su elucidación, que es la
...del destino propio, puede tantearse la diferencialidad inter-
...en qué sentido sea ella la explicitación de un destino historial.

Narc...orial: Hegel

...del Narciso historial traspasa la totalidad de la historia de la
...la medida en que la metafísica desde sus orígenes platónicos
...obre la relación entre el sujeto y su otredad. Pero Narciso se
...icamente emblemático en la filosofía especulativa hegeliana.
...mina el fin de la filosofía porque reconoce en su propia
...predicamento profetizado por Tiresias: «Morirá cuando se
...mismo, o si llega a hacerlo». La filosofía de la autoconciencia
...bsoluto es también, necesariamente, filosofía de la eterna

metamorfosis especulativa entre deseo y realidad. Después de Hegel, Nietzsche reconocerá el olvido del cuerpo por el pensamiento especulativo, y devolverá a Narciso su identidad física en las doctrinas de la Voluntad de poder y del Eterno retorno de lo mismo.

> Todo a lo largo de la historia de la metafísica, la esencia del hombre está fijada universal y continuamente en tanto que *animal rationale.* En la metafísica de Hegel, la *rationalitas,* entendida en un sentido dialéctico especulativo, se hace determinante para la subjetividad; en la metafísica de Nietzsche es la *animalitas* la que se hace hilo conductor. Las dos metafísicas, consideradas en su unidad de esencia historial, llevan respectivamente la *rationalitas* y la *animalitas* a su validez absoluta. (*Nietzsche* 2: 200).

La dialéctica hegeliana se constituye sobre un acentuado reconocimiento de la deuda historial. Quiero comentar algunos párrafos del «Prefacio» a las *Líneas fundamentales de la filosofía del derecho* con la intención de colocar a Hegel sobre la problemática indicada. En ello me interesará sobre todo preparar el camino hacia la perspectiva nietzscheana, en cuya estela se moverá el resto de este capítulo. Examinar la crítica nietzscheana del olvido del cuerpo y su replanteamiento del Narciso historial nos llevará de lleno al lugar donde explicitar la angustia de reconocimiento de la propia tarea historial se hace de alguna manera posible.

En el «Prefacio» a la *Filosofía del derecho* dice Hegel:

> Reconocer la razón como la rosa en la cruz del presente y así disfrutar del presente: esta intuición racional es la reconciliación con lo real que la filosofía concede a aquellos en quienes una vez se levantó un requerimiento interior a comprender. (26-27)

«Reconciliación» y «requerimiento», como los términos alemanes que traducen, *Versöhnung* y *Anforderung,* son dos palabras que están dentro del campo nocional de la deuda. *Anforderung* requiere lo debido o adeudado, y su pago, *Versöhnung,* es la reconciliación con y el apaciguamiento del demandante que sigue o es simultáneo con la expiación de la deuda. Lo que el párrafo dice es que la razón como filosofía reconcilia y paga lo reclamado. Ahora bien, lo que reclama ese pago es la razón misma, en cuanto para Hegel es la razón la que establece el requerimiento a comprender, la que se establece en cuanto tal requerimiento: «La tarea de la filosofía es comprender lo que es, porque la razón es lo que es» (26). La razón puede postularse simultáneamente como demandante y demandada, deudora y acreedora, en virtud de su esencia especulativa. Precisamente porque la razón es especulativa, para Hegel, puede reconocerse la identidad esencial de razón y realidad; una identidad de orden filosófico, concebible sólo en la tensión de forma y contenido de la filosofía especulativa: «la

n su significado más concreto es la razón como conocimiento
al y el contenido es la razón como esencia sustancial de la
. La conocida *(bewusste)* identidad de ambos es la Idea filosófica»

a como identidad «conocida» es necesariamente la lograda en la
circulación y subsiguiente cancelación de la deuda. Ahora bien,
ión de la deuda es y no puede ser otra cosa que su perpetua
. Eso es lo que se entiende finalmente en la frase «Reconocer la
o rosa en la cruz del presente y así disfrutar del presente: esa
onciliación con lo real». Veremos por qué «reconciliación» libera
sentido de apaciguamiento de una demanda, no como total
n y por lo tanto extinción de ella, sino más bien como
de un plazo de tregua, diferimiento de la necesidad de un
isición de un tiempo de tregua.
a es aquello cuya vida está radicalmente sometida a un lapso
Disfrutar de la rosa significa abrirse a su temporalidad, reconocerla
ia temporal. Eso es lo que Hegel llama «reconocer en el brillo
oral y transitivo la sustancia que es inmanente y lo eterno que
e» (25). La identidad estásica de sustancia e inmanencia y
presente, su conocimiento, es el difícil conocimiento filosófico
n como rosa en la encrucijada del presente: es también el
to de la inversión racional como flor especulativa del sujeto.
llega a ser experimentada la estásis de sustancia e inmanencia,
ad y presente? Según la tradición metafísica, deudora del
, la sustancia es lo trascendente de la cosa, igual que la
rasciende al tiempo. En la frase que nos ocupa sería difícil
nos la impresión de una inversión de la razón metafísica en sus
atónico-aristotélicos. Hegel dice que en el brillo de lo fugaz
ocerse lo que perdura. Brillo traduce *Schein. Schein* es también
y aspecto, cabalmente aquello que se ve porque es lo que
ro en cuanto apariencia, *Schein* es el simulacro, espectro de lo
que lo real se hace conocible. Lo real es conocible en su
s decir: no a través de él y más allá de él, sino precisamente
l insiste rotundamente en esto: «La filosofía, porque es la
[*Ergründen*] de lo racional, precisamente por eso es la
de lo presente y lo actual, y no la erección de un más-allá,
Dios sabe dónde» (24). En la figura del simulacro, porque no
s-allá, se dan, en tensión diferencial, la copresencia y la
el modelo del simulacro: en el simulacro están, como enigma,
trascendencia, eternidad y tiempo. Y la tarea racional es la
le ese enigma. Pero enunciar la tarea no es haberla consumado.
n no se agota en penetración. En la palabra resuena *Grund,*
y fundamento, fondo. Resuena también la idea de pozo o
cluso de abismo que es preciso sondear, al que es preciso

tomarle la medida. Tomar la medida del abismo implica descender a él, experimentarlo como tal abismo para así poder determinar su ámbito. Pero sabemos que los que bajan al abismo y los que suben montañas no solamente realizan una gesta, sino que son también determinados por ella. El abismo da la medida de quien desciende para medirlo. La penetración del abismo es razón del abismo en el sujeto, tanto como razón del sujeto en el abismo.

A propósito de su determinación de razón como rosa en la cruz del presente Hegel cita un proverbio griego para modificarlo en un juego de palabras. El proverbio es *Idou Rodos, idou kai to pedema* («aquí está Rodas, aquí el salto»). La alteración de Hegel es «Aquí está la rosa, baila aquí» («Hier ist die Rose, hier tanze») (26). El goce del presente es lo que Hegel consideraba reconciliación, diferimento de la deuda con lo real. Esta dimensión placentera es lo que Hegel resalta en su rendición de la segunda parte del proverbio. Pero al hacerlo así oscurece la doble significación de *pedema* como «salto» y como «sobresalto»: oscurece la doble significación objetivo-subjetiva de la gesta de la razón. El salto —salto, por ejemplo, hacia el abismo— ocasiona un sobresalto, una alteración del ritmo cardíaco. El sobresalto es la marca y la traza de la acción objetiva en el sujeto: es la acción del abismo sobre el sujeto, que repite y reciproca la acción del sujeto sobre el abismo. El sobresalto es la marca cordial de quien salta hacia la rosa, esto es: de quien consuma su deseo invirtiéndolo —invirtiéndose— en razón especulativa, en simulacro y en flor. Pero el sobresalto es también angustia de caída y señal del pasaje a lo infamiliar. La penetración en el simulacro, entendida como inversión especulativa del sujeto, mediante la que se logra el conocimiento de la tensión estásica de sustancia e inmanencia, de presente y eternidad, esa penetración no puede ser únicamente placentera.

Hegel describe el sobresalto como productor de alegría. Pero hay que observar en el sobresalto no sólo la alegría de la transfiguración en rosa temporal, sino también la angustia de la metamorfosis, el *horror vacui* de la inmersión en un simulacro sin fundamentos. La inversión racional debe especular la copertenencia de lo familiar y lo infamiliar, y no uno sólo de sus términos. La temporalidad de la inversión entra en la estructura de la deuda. Conocer la temporalidad de la rosa es adquirir un aplazamiento de la deuda porque es reconciliarse con lo real. Conocer la temporalidad es conocer la tensión estásica de lo perdurable y de lo transitivo, como conocer la esencia es, para Hegel, conocerla como estructura trascendente-inmanente. La deuda, la necesidad de su continuo aplazamiento, rige el movimiento dialéctico-especulativo del conocimiento. Y, porque lo esencial es aplazar la deuda mediante el trabajo del concepto, invertir la razón en rosa puede verse como una forma de pago. Ahora bien, invertir la razón en rosa como forma de pagar la deuda, es decir, invertir lo racional en lo real como medio de lograr un aplazamiento que permita «disfrutar del

p
t
n
r;
a]
d
p
lo
fa

cc
qı
sir
es
cr
H
tie
git
tir
po
cer
de
suj
aut
nal
en
e i
que
Y
rec
mer

..., es de hecho renovar la deuda, porque es de nuevo usar lo real, ... en préstamo para fines de la razón. La razón antropomorfiza ...mente lo real, y esa es la deuda. El movimiento inversor de la ... rosa se configura como inversión de la rosa en razón. Así el ...ento es siempre un desplazamiento, y el desplazamiento es un ...rio que postula sin cesar su nueva necesidad de equilibrarse sin ...nca acomodarla o acomodarse a ella. Pero Hegel prefirió afirmar ...rio. O, más bien, afirmando lo mismo, resolvió el desequilibrio a ...sujeto racional.

... lo real es racional y todo lo racional es real». Postular la razón ... temporal y querer apresar en la rosa su sustancia y eternidad es ...scatar el sujeto como fondo de la razón. Para Hegel la razón es ...mente conocimiento conceptual y esencia sustancial de la realidad; ... razón es el fondo y el fundamento, el modelo de todo simula-...real, el *subjectum* de todo simulacro y de toda realidad. Con ello ...vaguarda una intuición esencial de la metafísica, expresada en los ...odernos por Descartes con su frase *cogito, ergo sum*. En el *co-* ...artesiano se reconoce la esencia del sujeto como la medida a par-...ial se establece toda realidad, dado que el *cogito sum* es la única ...ndubitable y por lo tanto la única garantía posible de toda ...r salvaguardar, en última instancia, esta posesión y este fondo ... por ahorrarlos, Hegel no viene a invertirlos. Por mantener al ...o fundamento, el salto de la razón hacia sí misma no es un ...alto hacia el abismo. El salto hegeliano es más bien hacia el fi-...mo, hacia su fondo. Por eso el sobresalto acaba por resolverse ...egría, la alegría de quien se reconoce, después de todo, incólume ...tras una caída sin consecuencias. Por eso el sobresalto puede ...dado en la traducción hegeliana «aquí está la rosa, baila aquí». ... no puede haber pasaje infamiliar ni por lo tanto auténtico ...ento de la tensión estásica entre razón y abismo, entre funda-...sencia de fundamento[1].

Nar... ...torial: Nietzsche

I
no l
taml
impi

...onstruye una metafísica de la subjetividad absoluta en la que ...ibilidad de radical extrañeza. La razón; esencia del sujeto, es ...esencia de lo real. La contigüidad esencial de sujeto y realidad ...ontrar en la filosofía hegeliana un «entre» genuinamente dife-

[1]
Hege
78-9,
que la
liable
...nvenga hacer una especie de reserva mental sobre tan rotunda liquidación de ...ue yo mismo no puedo creer. Ver por ejemplo Watson, y Derrida, *L'oreille* ...lematizar lo dicho. Podrían buscarse textos en el mismo Hegel: me parece ...a de la finitud expuesta en *Wissenschaft der Logik* es difícilmente reconci-...do en *Grundlinien*. Por otra parte, Hegel casi siempre es indecidible.

rencial. Nietzsche creyó encontrar el abismo de la dialéctica en su crítica de la razón metafísica. Para Nietzsche la metafísica encuentra su extrañeza, su infamiliaridad y su fin en el cuerpo del ser humano. Su propio pensamiento se da historialmente la tarea de finalizar la antropomorfosis metafísica, en el doble sentido de completarla y de acabar con ella en la apertura a un nuevo comienzo.

El cuerpo está olvidado en la tradición metafísica en virtud del énfasis que, por razones esenciales, ésta impone en el segundo término de la expresión *animal rationale*. Encontrar la falta en el fundamento de la antropomorfosis metafísica es encontrar la ausencia del cuerpo en ella. Pero encontrar la ausencia del cuerpo es simultáneamente encontrar el cuerpo. Encontrar el cuerpo en la metafísica supone invertir la metafísica, de tal manera que lo que antes era ausente en ella se haga presente por la inversión. Prestemos atención al siguiente párrafo de *La Gaya ciencia*:

> El disfraz inconsciente de las necesidades fisiológicas bajo las capas de lo objetivo, lo ideal, lo puramente espiritual, llega a dimensiones escalofriantes —y a menudo me he preguntado si, tomando un punto de vista amplio, la filosofía no ha sido meramente una interpretación del cuerpo y un *malentendimiento del cuerpo*. (16)

En la cita el cuerpo aparece necesariamente bajo la forma de cuestión. Si el cuerpo es precisamente lo no-racional, la no-conciencia, y a la vez el origen y la raíz de la conciencia, toda determinación del cuerpo por la razón permanece problemática, si de hecho no meramente imposible. Pero aparte ya de esta primera dificultad lógica, la fuerza de la cuestión nietzscheana radica en que, concedida la hipótesis de que la conciencia debe ciertamente nacer y darse en el cuerpo, la tesis es poco menos que inescapable: aunque pueda ser también otras cosas, el pensamiento es interpretación del cuerpo, y es disfraz del cuerpo en la medida en que pretenda negar su relación corporal. Pero incluso si el pensamiento acepta resueltamente su condición corporal: el pensamiento no puede pensar el cuerpo más que bajo la forma del disfraz, porque ya el concepto «cuerpo» es en sí un producto de la conciencia distanciada, como el mismo concepto de conciencia y la noción de distancia entre conciencia y cuerpo. De aquí el necesario «malentendimiento» del cuerpo por la filosofía.

La fuerza de la pregunta de Nietzsche está en que, por sólo darse como pregunta, facilita una inversión de perspectiva que permite la reinterpretación del discurso occidental como enmascaramiento de impulsos corporales. Basta sospechar que lo ideal es producto de una inversión de la fisiología. El pensamiento no puede traspasar el límite de la sospecha, pero la sospecha convierte las plenas realidades anteriores —por ejemplo, cuerpo y razón— en aparatos sólo pensables por el pensamiento diferencial. La estásis de cuerpo y conciencia borra cuerpo y conciencia como realidades separadas para hacerlas copertenecientes en la relación diferencial.

relación de cuerpo y conciencia, tal como la describe Nietzsche,
aparece como significante trascendental del pensamiento. Es el
una ausencia que todos los significados quieren (en)cubrir. Pero
como significado trascendental: es la presencia que garantiza el
todos los significados (aunque el sentido esté siempre disfrazado).
y significado trascendental, el cuerpo es el signo trascendental
amiento. El cuerpo es el nuevo nombre del ser. El espacio
es la transmutación por el olvido del espacio corporal: olvido
que abre la posibilidad del pensamiento —de *nuestro* pensamiento.
falta en el fundamento mismo de constitución de la metafísica.
simultáneamente, la aparente imposibilidad de vencerla. Vencerla
ir esa falta, pagar la deuda de un olvido que ha sido mostrado
esario, como deuda necesaria e impagable.

dar lo necesariamente olvidado es una empresa imposible. O
egara a ser posible, no pueden concebirse las consecuencias que
el quebrantamiento de esa necesidad y su consiguiente reducción
encia. De hecho la destrucción de la noción de necesidad
también la noción de contingencia. Quizás la destrucción del
sara la destrucción del recuerdo mismo. Destruir el recuerdo no
destruir un objeto —es destruir la posibilidad del objeto en la
n de la memoria que guarda todos los objetos. Destruir el
s afirmar que no hay olvido, pero también que no hay recuerdo
anto aquello que el recuerdo ampara.

o hemos recordado lo olvidado. Nos movemos en el límite
de recuerdo y olvido, interpretando primeramente olvido como
a relación diferencial entre cuerpo y pensamiento. Para Nietzsche
metafísico es la transmutación por el olvido del espacio
o olvidado necesariamente es el espacio corporal *antes de* su
ción. Pero, en la medida en que la temporalidad como concepto
es ya un producto de la transmutación, postular en este reino
un después revela un razonamiento impreciso. Lo olvidado
ente es el espacio corporal en su diferencia con respecto del
tafísico —de tal modo que el espacio corporal no es sino la
el límite del espacio metafísico, y sólo accesible desde él.

a una ausencia es problemático, y aún más si esa ausencia es
cesaria, que no puede ser invertida en presencia. Rememorar el
rememorar lo siempre necesariamente ausente, puesto que la
ón es estructuralmente posible a raíz del olvido corporal.
el cuerpo es sobrepasar el límite metafísico —¿hacia dónde?
upondría pretender conocer el más-allá metafísico, que es, en
te, lo que permanece enigmático. Nietzsche sólo ofrece una
hacia el enigma— el enigma es el cuerpo. Pero el cuerpo es lo
la metafísica. Sobrepasar la metafísica no puede ser simplemente
orden de lo tachado, y sobreponer entonces el cuerpo a la

metafísica, aunque sólo sea porque el cuerpo, en cuanto ausente, no tiene poder de sobreposición, no puede entrar en el juego de la oposición inversora. La tachadura metafísica no se ha contentado ni se contenta con velar simplemente el cuerpo, sino que su empresa de ocultación va hasta la total borradura del límite de separación —hasta la e-liminación. La metafísica ha eliminado al cuerpo con respecto de sí misma, y así ha impedido hasta la posibilidad misma de oposición. ¿Cómo puede lo eliminado recurrir, cruzar el límite, e-liminarlo, borrar la tachadura metafísica?

El término nietzscheano *Überwindung*, vencimiento, significa «vencer» en el sentido de derrotar. Joan Stambaugh, en su versión al inglés del ensayo heideggeriano «Überwindung der Metaphysik», ofrece en nota una aclaración que tiene ella misma su suelo en el pensamiento de Nietzsche. Stambaugh escribe: «Aunque Heidegger usa... *Überwindung* lo hace en el sentido de *Verwindung*... Cuando algo es vencido en el sentido de ser *verwunden*, es, por así decirlo, incorporado. Por ejemplo, cuando uno "vence" un estado de dolor, uno no se libra del dolor. Uno deja de estar preocupado por él y aprende a vivir con él» (84, n. 1; Schürmann 95, n. 2; Heidegger, «Seinsfrage» 414, 416, 417 ss.). Como en Heidegger, también en Nietzsche hay que leer todo vencimiento como una incorporación —no tachadura, tampoco derrota, sino más bien incorporación que permite a lo incorporado darse todavía, pero esta vez subsumido al cuerpo como fuerza más fuerte. El cuerpo incorpora, y al incorporar asume la esencia de lo incorporado, sobreponiéndose a ello. Esta es la doctrina nietzscheana de la Voluntad de poder.

Nietzsche, en tanto pensador de la absoluta subjetividad corporal, concibe al sujeto primariamente como sujeto de afectos y pulsiones corporales. En el Prefacio a la segunda edición de *La Gaya ciencia* describe el movimiento mismo del pensamiento por analogía con su propio concepto de salud corporal. La salud es la incorporación de la enfermedad, una incorporación que la vence estásicamente. La relación entre salud y filosofía, entre estado corporal y pensamiento, es primero calificada de cuestión esencial. Luego dice:

> Un filósofo que ha atravesado muchas clases de salud, y continúa atravesándolas, ha pasado a través de un número igual de filosofías; simplemente *no puede* evitar trasponer cada vez sus estados en la distancia y la forma más espirituales: este arte de transfiguración es la filosofía. (17)

Metamorfosis de síntomas corporales: eso es, de forma inevitable, el pensamiento. El pensamiento, por lo tanto, sufre la inscripción del cuerpo. El cuerpo impone su traza en el pensamiento, y esto no de manera arbitraria, sino de tal manera que el pensamiento es, esencialmente, la traza corporal transfigurada. Inscripción y traza son en griego *graphia*. Si el sujeto es el sujeto corporal, la autografía es la inscripción del sujeto en su propio pensamiento, y por ende su transfiguración. A esta transfi-

del cuerpo en pensamiento la he venido llamando inversión: autográfica, autografía.

...versión nietzscheana de la metafísica —que es ciertamente un fin ...tafísica en sentido absoluto, aunque no ciertamente su borramiento ...oco su derrota— consiste en postular el movimiento autográfico ...amiento. Establecer la capacidad del pensamiento para reconocerse ...estadio temporal como manifestación de un estado de salud, para ...r en sus metamorfosis cambios incorporativos, eso es lo que ...e llama su tarea psicológica y su psicología (15-16). En cuanto tal, ...ogía sólo puede ser iniciada por el primer establecimiento del ... autografismo del pensamiento en sí, del pensamiento como ... inversión autográfica. Buscar la radicalidad del pensamiento ...uello que subyace a toda inversión y a toda transfiguración no es ...na sustancia móvil, ahistórica, sino precisamente experimentar el ...omo lo continuamente invertido. Pero para esto, tan necesaria ...salud que permite seguir viviendo es la enfermedad, que revela ...ra vez, en el mismo cambio que promueve, el carácter indetermi-...la existencia: «La vida —eso significa para nosotros la constante ...ación de todo lo que somos en luz y en llama» (18). La ... de poder conoce el precio del autografismo, conoce que el ...smo, inversión del sujeto, no puede plantearse como reconciliación ...al o aplazamiento del pago de una deuda; sabe que la inversión, ...s, no mitiga la deuda; sabe que la deuda no es otra que la de la ... de inversión. Así la mera alegría hegeliana por el progreso de la ... permite el gozo del presente está destruida en Nietzsche:

Sólo el gran dolor, el dolor largo y lento que toma su tiempo —en que se nos quema, por así decirlo, con madera verde— nos compele a ...osotros los filósofos a descender a nuestras últimas profundidades y a ...jar de lado toda confianza, toda bondad, todo lo que interpondría un ...lo, todo lo suave, todo lo medio —cosas en las que anteriormente ...odemos haber encontrado nuestra humanidad. (18)

...sofo es el que quiere caracterizarse por una salud que se ejercita ...tinuo vencimiento de la enfermedad. Si la enfermedad revela y ...velado, esto es, la copertenencia de cuerpo y pensamiento, la ...mite reconocer el carácter de la existencia como no-determinable, ...cógnita abierta más allá de la subjetividad del sujeto, siempre en ..., siempre fuera de su límite. La salud del filósofo abre el camino ...echa con referencia a toda determinación y a toda fijación en el ...to de la verdad del mundo: lo que Nietzsche llama «la gran ...(18). Mediante ella y en ella

...confianza en la vida se ha ido: la vida en sí se ha vuelto un *problema*. ...embargo no se debería saltar a la conclusión de que esto necesariamente ...ristece. Incluso el amor de la vida es todavía posible, solo que ahora uno ama de manera diferente. Es el amor de una mujer que nos causa dudas. (18)

Así el largo y lento dolor que aniquila toda confianza en el fundamento de la razón revelándola como inversión autográfica, el largo y lento dolor que abrasa la fundada alegría hegeliana, ese dolor es a su vez la condición de una nueva alegría, que Nietzsche describe como alegría diferente: la alegría por un amor que hace dudar, que priva de garantía y fundamentación. En ese amor por «todo lo problemático» «conocemos una nueva felicidad» (19).

Que el pensamiento sea inversión autográfica pone simultáneamente a la realidad como diferencia con respecto de la subjetividad; una diferencia dadora de una alegría sustitutiva de la alegría hegeliana, que se lograba en la reconciliación temporal de razón y realidad. La autografía fuerza al reconocimiento de una diferencia, pero esta diferencia es tal que no puede ser «reconciliada» por el pensamiento: el pensamiento no puede llegar a establecerla como nuevo fondo de la razón. Al contrario, para Nietzsche, la razón, precisamente porque es subjetiva y porque es absoluta, lleva en sí la necesidad de buscar su propia circunscripción y delimitación, si es que ha de serle posible disfrutar de la felicidad de la diferencia. Al mismo tiempo, la razón no quiere meramente reconstituirse en la asimilación de la diferencia. Simultáneamente buscar la captura y la intensificación de la diferencia; simultáneamente llevar la razón a su límite y destruir el límite —esa es la Voluntad de poder, que no admite límite en su doble necesidad de reacción y afirmación, de logro de identidad y de apertura a la diferencia. La diferencia retorna como identidad y la identidad retorna como diferencia, incondicionadamente: Eterno retorno de lo mismo.

La nueva felicidad, que no excluye sino que necesita del largo y lento dolor, el «peso más pesado», es comparada por Nietzsche, desde el punto de vista masculino, con el amor de una mujer que nos causa dudas y borra nuestra confianza: un amor difícil. El largo y lento dolor es el pasaje angustiado, de lo familiar a lo infamiliar, del fundamento a la ausencia de fundamento. Es el pasaje historial que lleva al pensador a sobrepasar, *verwinden,* aquello «en lo que anteriormente [podía] haber encontrado su humanidad» —es el pasaje del sobrehombre. El sobrehombre no es aquel que busca solamente la intensificación de su ser anterior, sino el que simultáneamente se libra de él en el amor por... lo diferente. Pero ¿qué es lo diferente?

La diferencia en Nietzsche

Encontrar la diferencia es la tarea historial legada por Nietzsche. La diferencia es lo no reconciliable, aquello que no puede caer bajo el dominio de una lógica de opuestos y que no se configura, por lo tanto,

simple reverso de una identidad dada. Pero la diferencia es
en primer lugar con respecto de la inversión autográfica. La
de la Voluntad de poder, al hacer de la intensificación autográfica
o valor, tiende a nublar el hecho de que la autografía se da sobre
encia que no puede llegar a dominar. Nietzsche es un pensador
por su énfasis en la continua incorporación afirmativa de la
Al mismo tiempo, Nietzsche es el pensador del fin de la
por afirmar la inconmensurabilidad abismal del reino de la
cómo la diferencia es la que propiamente incorpora en todo
ómo la operación diferencial marca una traza irreductible en la
de poder. La diferencia es Voluntad de poder: Nietzsche
. Pero también: la diferencia es (otra que) la Voluntad de poder.
sador de la Voluntad de poder consuma la figura del Narciso
n el doble sentido de que la lleva a su máxima intensificación y
en la necesidad de una metamorfosis. La inversión nietzscheana
afísica no se limita a la alteración de la jerarquía entre cuerpo y
. El cuerpo glorificado del Narciso historial debe también
consumarse, invertirse para pagar la deuda de la diferencia.
uerpo o sujeto intelectual, está todavia preso en las disyuntivas
ntidad. Todavía quiere poseer(se en) la especulación, tomar
apropiar(se en) el otro, hacerse propio, hacerse idéntico.
realidad, sólo desde una identidad cualquiera puede haber un
la metamorfosis —o, mejor dicho, sólo a una identidad dada
nocérsele su metamorfosis.
tando los escritos autobiográficos de Nietzsche Heidegger
Es por todo lo contrario de un vanidoso narcisismo que
reviene constantemente a sí mismo en su propia meditación: lo
incesante preparación al sacrificio que su propia tarea le exigía»
Y en otro lugar: «En *Ecce Homo* no se trata ni de una
ía ni de la persona de Herr Nietzsche, sino a decir verdad de
ad: no de tipo individual, sino de la historia de un período de
s modernos en tanto que momento final de Occidente» (1: 474).
egger, *Ecce Homo,* inversión autobiográfica de Nietzsche, expresa
de un momento historial de Occidente, cuya historialidad está
te determinada por la metafísica de la subjetividad corporal
ue Nietzsche formuló. *Ecce Homo* no retrata un Narciso
sino el Narciso historial que debió invertirse, para cubrir su
identidad, en la absoluta especulación metafísica del Eterno
lo mismo.
no retorno es y define la identidad autográfica de Nietzsche
o historial. Y eso implica: en el Eterno retorno, en cuanto
stá dada la clave para el entendimiento del sujeto como Narciso
n el tiempo del fin de la metafísica, y por lo tanto para la
de lo que ese sujeto es y significa en la interpretación. La

diferencia interpretativa, nombre de la estructura doble de la interpretación, debe establecerse como diferencia historial, en el seno de la interpretación, entre una interpretación cuyo fundamento subjetivo es el Narciso historial del fin de la metafísica y una interpretación que retorna hacia un nuevo comienzo. Pero para esta interpretación no hay (todavía) fundamento. O su fundamento es (ya) ausente.

El exergo de *Ecce Homo* dice así:

> En este día perfecto, cuando todo madura y no sólo la uva se hace dorada, una mirada del sol cayó sobre mi vida: miré hacia atrás, miré hacia delante, nunca vi tantas y tan buenas cosas juntas. No es en vano que enterré hoy mi año cuarenta y cuatro; *tuve el derecho* de hacerlo; lo que quiera que fue vida en él ha sido salvado, es inmortal. La *Transvaloración de todos los valores*, los *Ditirambos de Dionisos*, el *Crepúsculo de los ídolos* —¡todos dones de este año, en verdad de su último cuarto! ¿Cómo podía dejar de estarle reconocido a toda mi vida?— y así me la cuento a mí mismo. (261)

Los dones de la vida abren una deuda de reconocimiento cuyo pago es *Ecce Homo* como inversión autográfica. Pero a la vez esos dones son dones de la propia vida, en sí autográficos, un saldo positivo que da el derecho de cerrar la deuda en la misma afirmación de agradecimiento. La deuda es simultáneamente pagada y abierta por la propia vida, y así el recuento autobiográfico tiene el sentido doble de inversión en pago de un don y de reconocimiento de la deuda del don, es decir, de la necesidad de esa inversión. La deuda retorna en el pago y el pago retorna en la deuda: he ahí lo establecido en el laberinto especulativo de la inversión autográfica.

«Una mirada del sol cayó sobre mi vida... y así me la cuento a mí mismo»: en su total inversión narcisista Nietzsche invierte el narcisismo mismo, la inversión revierte, y en ella reconoce, en la luz que la ilumina, la necesidad de una otredad decisiva: la otredad de la región misma de la inversión, región de la diferencia que en cuanto tal es la que hace posible que lo invertido no sea nunca idéntico con aquello en lo que se invierte. A la ruptura del espejo en el final del capítulo anterior corresponde la posibilidad de que el abismo abierto para Narciso en el retorno de la inversión sea propiamente el lugar del salto, y del sobresalto; el lugar del pasaje al dolor y a la alegría de la diferencia; lugar del amor difícil, más allá del amor a la propia imagen en el espejo. Quizás ahora puede indicarse la amplitud de la referencia nietzscheana a la mujer problemática como ámbito y esencia de la «gran salud» del filósofo. Comentando otros textos de Nietzsche sobre la mujer y la diferencia sexual Derrida dice: «Si se determina la diferencia sexual en oposición, cada término invierte su imagen en el otro. Proposición en la que las dos x serían a la vez sujetos y predicados, la cópula un espejo. Tal es la máquina de la contradicción» (*E* 75). Más allá o del otro lado de la diferencia que opone hombre y

m[...] etexto de la sexualidad narcisista, la sospecha nietzscheana nunca
c[...] e ni opone: desplaza y subvierte toda inversión especular.

E[...] a doble de la interpretación

[...]mos a la diferencia interpretativa. En cuanto tarea historial, la
in[...]ción en nuestra época debe recoger la problematicidad sin fondo
de[...] la metafísica. El fin de la metafísica tiene la peculiar estructura
de[...] puede ser afirmado sin negarse a sí mismo, porque la oposición
en[...]afísica y lo otro que la metafísica es ella misma metafísica: como
la [...]cia tampoco puede ser considerada sin un concepto previo y
es[...] identidad que la determine. De ahí la necesidad de simulación
y [...]ad en este terreno. No hay alternativas, considerando que toda
alt[...], todo pensamiento de la alternativa, es, también él, doble y
sin[...] no puede hacer otra cosa que alternar con la carencia de
alt[...], con la presunta necesidad; es decir, con su alternativa. La
int[...]ción en nuestra época de la duplicidad insondable del fin de la
me[...] es también doble y engañosa, y en su engaño está su verdad: su
co[...]so con la tarea historial.
[...]rpretación media entre lo extraño y lo familiar. Tradicionalmente
tie[...]unciones: familiariza lo extraño y desfamiliariza lo familiar. Sin
la [...] no habría entendimiento. Sin la segunda, el entendimiento no
po[...]rse reflexivo y crítico en la proyección de lo interpretado sobre
nu[...]rizonte de prejuicios. Esta doble función de la interpretación
co[...]u estructura tradicional —su estructura todavía unívoca, depen-
die[...]a noción esencial y esencializante de una realidad trascendente,
a l[...]n última instancia remitirían interpretado e intérprete y en la
que[...]trarían común fundamento. La estructura tradicional de la
int[...]ión, aunque admite por cierto una doble función de familiariza-
ció[...] desfamiliarización, no es en sí una estructura doble: está
arti[...] en torno a un centro único, identificable con la noción
met[...] de presencia.
[...]ente lo que debe ser interpretado es lo que no tiene presencia,
lo [...]deja sentir como ausente y extraño. Traer a la presencia es
repi[...]. La interpretación busca la re-presentación de lo ausente, ya
con[...]xtraño que debe ser familiarizado, ya como lo excesivamente
fam[...]cercano, que debe por lo tanto ser devuelto en la presencia,
resc[...]el olvido en que lo puso la carencia de perspectiva. Como re-
pres[...]n, la noción clásica de interpretación es estrechamente solidaria
de l[...]n tradicional de signo, en el sentido de que la interpretación
sup[...]abor de explicitación de la presencia diferida en el signo y por
el s[...] sentido y su referente. Representación, de forma también
solid[...] la noción tradicional —platónica y cristiana— de conocimiento,

79

es lo mismo que re-apropiación: traer a lo propio, captar y hacer propiedad de lo que perdimos al caer en el mundo sensible, que difiere la plena presencia de la idea.

Re-praesentatio: nombre de una estructura de conocimiento centrada en torno a la noción de presencia, fundada y fundamentada en torno a la necesidad de reconstitución de la presencia. La presencia nombra la identidad —lo propio, lo propiamente presente, lo *auto*-presente en tanto contenido de la conciencia representativa. La identificación hegeliana de razón y realidad, que hace de la realidad lo propio y lo apropiado de la esencia de la razón, lleva a su ápice, a su completitud y acabamiento, el movimiento metafísico de la *repraesentatio* como dialéctica. La ruptura nietzscheana está más allá de su inversión de la metafísica, llevada a cabo en su incorporación de la subjetividad, en su determinación de la subjetividad como inversión del cuerpo. La ruptura con la metafísica, o ruptura de la metafísica, tiene a la vez que reconocer la presencia como el centro de la estructura metafísica y la insuficiencia de tal estructuración. Tiene que reconocer por qué la presencia como centro, y el centro como presencia, fracasan historialmente, se agotan, y en su agotamiento abren el abismo metafísico, la falta en/del fundamento de la metafísica. La doblez de la nueva estructura interpretativa consiste en esto: jugar el juego metafísico hasta sus últimas consecuencias, invertirse en él hasta su límite absoluto... sólo para que el límite absoluto y la última consecuencia reviertan en la necesidad de un nuevo comienzo. Pero necesidad y su opuesto, comienzo y fin, centro y descentramiento, presencia y ausencia: todas ellas son categorías metafísicas. El pasaje al fin de la metafísica es radicalmente angosto y angustioso, abismo estrecho, precisamente porque no hay para él fin posible. No hay fin que no se anuncie, apocalípticamente, en oposición a aquello que finaliza. El fin es siempre metafísico.

Dos interpretaciones: la una está empeñada en rescatar la esencia oculta de las cosas, de los textos, reapropiar el texto, traer el texto a la presencia inmediata de la conciencia, borrar en el signo su carácter de signo e imponer en su lugar el fulgor helado de aquello que se significa: la interpretación de Narciso, de su deseo fiero por sustituir la imagen; la otra, interpretación invertida, reconoce en la pulsión autográfica el deseo de Narciso, al otro lado de su fiereza, como deseo de imponer en toda cosa, en todo texto, su propio reflejo, para así poder amarlo. De la afirmación de la presencia modélica a la crítica del modelo como simulacro, ambas nociones de la interpretación están todavía presas en la concepción del texto como lugar de una (u otra) identidad. ¿Dónde entonces la diferencia interpretativa?

El pasaje en el fin de la metafísica no puede consumarse. El pasaje final, pasaje sin fin, debe absorber su angustia de muerte, vivir en ella. Como pasaje interpretativo, no tiende un puente entre lo familiar y lo extraño, no va de ninguna parte a ninguna parte, queda parado en el entre

h⟨…⟩tico, en el quicio de articulación de toda categoría. No pudiendo
re⟨…⟩ en identidad, no puede tampoco resolver la cuestión de su
di⟨…⟩. ¿Es posible concebir solución del pasaje, hacer nacer, dar luz a
lo⟨…⟩ él alienta? ¿Y cómo saber que lo que alienta ahí no es otro que
u⟨…⟩ruo? Nacimiento historial.

p⟨…⟩la concluye su «Exergo» a *De la grammatologie* con las siguientes
ab⟨…⟩«El futuro sólo puede ser anticipado en la forma de un peligro
y ⟨…⟩Es aquello que rompe absolutamente con la normalidad constituida
(C⟨…⟩ede ser proclamado, *presentado,* como un tipo de monstruosidad»
ve⟨…⟩*tologie* 14). Cuando escribió eso Derrida recordaba sin duda los
re⟨…⟩n que Hölderlin comienza su poema apocalíptico, «Patmos»,
ni⟨…⟩ente citados por Heidegger casí como conjuro de la amenaza
w⟨…⟩«Nah ist / Und schwer zu fassen der Gott. / Wo aber Gefahr ist,
do⟨…⟩las Rettende auch» («Cercano y difícil de coger es el Dios. / Pero
⟨…⟩á el peligro, crece / también lo que salva») (193)[2].

lo d⟨…⟩ger, «Frage» 28, 35. Ver también Derrida, *Ton* 60-61. La totalidad del opúscu-
leer⟨…⟩a, que es un comentario de la apocalipsis tanto como del *Apocalipsis,* puede
trat⟨…⟩n como un comentario a la elegía de Hölderlin, o como un comentario del
pos⟨…⟩eideggeriano de la elegía de Hölderlin, y por lo tanto de la posibilidad de una
⟨…⟩no escatológica.

Capítulo 4

Influencia textual

Curación y obstrucción

...áginas anteriores son resultado de un esfuerzo por reflexionar en ...o interpretativo desde ciertas condiciones apropiadas al fin de la .... El fin de la metafísica permanece indefinidamente como tal fin, ... nunca ser trascendido hacia parte alguna post-metafísica. La ...física, al quererse como distinta que la metafísica, sólo se ...e como tal siguiendo la lógica de oposiciones, trascendencias y ...ue definen en primer lugar la metafísica. La post-metafísica es ...e porque es irreduciblemente metafísica. No hay, pues, cuestión ... o superar la metafísica. Si acaso, «vencer» podría leerse en el ...sentido nietzscheano-heideggeriano de «llegar al fin» de por ...n dolor *(Verwindung)*. Vencemos una enfermedad cuando la ...d cumple su ciclo y se retira, permitiendo que la salud vuelva a ...cuerpo se restaura. Así el pensamiento también lleva a cabo una ...ón en la época del fin de la metafísica.

...a relación entre salud y enfermedad no puede concebirse como ..., sino que es más bien en todo momento constitutiva de un ...equilibrio entre fuerzas respectivas, de modo que la salud, cuan-...ce sobre la enfermedad, más que restaurarse a sí misma restaura ...rio. De la misma manera cuando el pensamiento restaura en el ...etafísica restaura en primer lugar la posibilidad de un estado de ...o al originado por la prevalencia de la metafísica.

...crepúsculo de los ídolos Nietzsche comienza su «Historia de un ...e es la historia del pensamiento metafísico, detectando su primer ...en la instauración de un «mundo verdadero» por el platonismo. ...smo descubre la realidad como consistente en un nivel superior, ... y otro inferior, sensible, abriendo para Occidente un sistema ...iento fundado en oposiciones binarias. La Idea platónica es el ...de la verdad. La verdad es accesible para el sabio que puede ...relaciones con el mundo ideal de lo inteligible. En la teoría de las Ideas está dada la semilla que llevaría a formar dentro del platonismo un concepto de verdad como adecuación o concordancia entre la cosa y el intelecto, sustituyendo la antigua noción griega que concebía la verdad —*aletheia*— como desocultamiento, como rescate de un olvido —*lethe*. Pero si la verdad es la adecuación, el error es la inadecuación— lo falso es lo constituido por su carencia de adecuación a la Idea de la cosa.

Que el error sea posible testifica de la existencia de lo aparente, mundo de la sensibilidad engañosa, falta de acuerdo con las Ideas a las que sin embargo remite. Para Nietzsche este esquema pervive con variaciones a lo largo de la historia de Occidente hasta que en su propio pensamiento queda hecho pedazos: «El mundo verdadero —lo hemos abolido. ¿Qué mundo permanece? ¿Quizás el aparente? ¡Pero no! Con el mundo verdadero hemos abolido también el aparente» (75). La tarea para Nietzsche, y esa es la tarea que anuncia por Zaratustra, consiste en efectuar el pasaje hacia un conocimiento del mundo que prescinda —venza— las oposiciones metafísicas entre verdad y apariencia, y todas las que de ellas se derivan.

El pensamiento al final de la metafísica debe restaurar el mundo tal como era antes de la diferenciación platónica. Heidegger interpreta ese «antes» que debe restaurarse apelando a una recuperación de la verdad como *aletheia*. Y lo primero que *aletheia* descubre en el fin de la metafísica es el olvido, *lethe*, de la diferencia entre la noción de «presencia» como sustantivo verbal y «presencia» como sustantivo nominal. La metafísica ha pensado siempre el ser de los entes bajo la noción de presencia. Pero, dentro de esta perspectiva, el «hacerse presente» de los entes fue en sí olvidado a favor de una presencia concebida como originaria y fundamentadora. Con ello se olvidó también la esencia de la verdad que, al rescatar a los entes del ocultamiento en que el olvido los guarda, presenti-fica y trae a la presencia. Lo que permanece en la perspectiva metafísica es la presencia como sustantivo nominal, lo que ya es presente o fue presente o será presente de manera sustancial, es decir, a partir de la sustancia, *hipokeimenon*, constante y originaria: los entes y su esencia sustancial. El pensamiento metafísico, desde Platón, busca la esencia de los entes, el ser de los seres, pero ha olvidado el hacerse-ser, y por lo tanto el Ser desde el que todo ser pres-enta. Por eso para Heidegger «el vencimiento (*Verwindung*) de la metafísica es el vencimiento (*Verwindung*) del olvido del Ser» («Seinsfrage» 416).

La restauración necesaria, en Heidegger, requiere una rememoración. Ahora bien, no hay rememoración posible sin la previa apropiación de trazas que marquen el camino del recuerdo. El recuerdo del olvido del ser yace en la historia de la metafísica. Vencer la metafísica no puede ser más que, en primer lugar, conocerla nuevamente, volver a ella, experimentar su esencia, porque es en la esencia de la metafísica donde hay, se da, olvido del ser.

El camino de esta entrada tiene la dirección y el modo de un retorno. [...]sde luego no significa un retorno a los tiempos ya vividos del pasado [...] refrescarlos tentativamente de forma artificial. El retorno aquí [...]igna la dirección hacia ese lugar (el olvido del ser), desde el que salió [...]etafísica y en el que retiene su origen... Por esa razón el pensar y el [...]tizar deben volver a donde en cierta manera siempre han estado pero [...] así nunca construyeron. Pero sólo podemos prepararnos para vivir [...]n lugar construyendo. Ese construir... debe contentarse con construir [...]*amino* que lleva al lugar del vencimiento de la metafísica. (423)

[...] capítulos anteriores concluían en un arduo paraje del camino —p[...] [...]sajes indecidibles del sujeto y de la interpretación en el fin de la m[...]a. La indecidibilidad no dependía, sin embargo, más que de la nece[...] [...]e asumir el pasaje mismo como lo único suficientemente pensable[...], resolver el pasaje, decidir el cruce de la frontera metafísica, quiz[...] [...]acciones sean sólo concebibles desde dentro de la concepción meta[...] —dentro de ella, y no en el pasaje hacia el lugar de su venci- mien[...] [...]gar a ese lugar permanece impensable. La razón de tal impen- sabil[...] [...]ende también de nuestra situación en el fin: nuestro lenguaje, nues[...] [...]samiento, son heredados de la metafísica y sólo en ella cobran senti[...] [...]ndonar la metafísica —eso requeriría una transformación del lengu[...] [...]a metamorfosis del pensamiento, y también por lo tanto en prim[...] [...] una concepción cambiada de la esencia del lenguaje.

E[...] [...]ulo estudia el segundo término de la expresión «interpretación de la [...] en tanto segundo término, es decir, la poesía en tanto lugar de un [...]pretación. El punto de vista será el de la diferencia que la in- terpre[...] encuentra en el texto poético entre literalidad y significado. Tal c[...] [...]edó establecido en el capítulo primero, la diferencia textual hace [...]ia a una particular obstrucción: el momento en el que el tex- to leí[...]ace reticente y en su reticencia revela su carácter diferencial. Hasta[...]a obstrucción se produce el lector vive en comunidad de preju[...] [...] el texto. La obstrucción lo pone en el aprieto de reconocer la pre[...]xtraña de una literalidad que no otorga significado. De lugar familia[...] [...]orada del lector, el texto se descubre ajeno. La ajenidad tex- tual e[...] [...]unción de la presencia en el texto de una opacidad que lo li- teral r[...] [...]o literal nace cuando el significado se retira: pero no nace, sino q[...] [...] decisivamente a la presencia. Lezama describe la literalidad que au[...] significado como «el innumerable rechazador» (*Poesía* 235). En cu[...] [...] puede ser descrita con la expresión que Nietzsche utiliza para re[...]al nihilismo: es «el más *unheimlich* de todos los invitados», infamil[...] [...]que en primer lugar supone la destrucción de lo familiar mis- mo y r[...] [...]toda constitución de morada. «No ayuda mostrarle la puer- ta, por[...] [...]e ya mucho tiempo que se mueve invisiblemente por la casa. Lo que [...]ta es ponerle la vista encima a este invitado y calarlo bien» (Heide[...] [...]Seinsfrage» 387). Calar lo invisible o penetrar lo opaco

—¿pero qué perspectiva permite enfrentar esa tarea? Hacen falta ojos de lince.

La literalidad es infamiliar, se presenta como radicalmente rechazadora y extraña, es el lugar de una «nada» excluyente cuando, en la obstrucción, el significado se retira; cuando hay obstrucción. Así pensada, la obstrucción es la presencia, la presentación, de una negatividad; es decir, la obstrucción es la manifestación de una ausencia. En la ausencia del significado la literalidad cobra presencia. Sin embargo, la obstrucción necesita también ser pensada de forma inversa, esto es, en su positividad. La obstrucción permite por primera vez el reconocimiento de la diferencia textual: al ofrecer una retirada del significado la obstrucción permite la manifestación del significado como lo que, en su retiro, se lleva la posibilidad de habitación del texto. La obstrucción da el significado en su esencia como lugar de habitación y morada. En la destrucción de toda familiaridad se muestra explícita la familiaridad del significado como aquello digno de ser construido, sin lo cual el texto, como lugar de una nada, no da opción de vida. Y paralelamente: la literalidad privada del significado, la literalidad como lugar de obstrucción, es simultáneamente el reflujo de la literalidad entendida como el lugar propio del significado; el lugar donde puede darse la población. La obstrucción, al abrir el abismo de la diferencia textual, da el texto, por primera vez, como lugar de un conflicto de habitación donde se decide el modo de nuestro estar. La obstrucción, experiencia del sujeto, remite a una estructura del texto en la que literalidad y significado se abren a una determinación más precisa.

Literalidad y significado son índices de una diferencia textual entendida como estructura del texto. Aparentes en la obstrucción sufrida en la lectura, y así apropiados a la estructura del leer, literalidad y significado no son todavía lo suficientemente adecuados para determinar la diferencia textual en sí misma. Pero remiten a la necesidad de encontrar en el texto una copertenencia de opacidad y transparencia. Esta copertenencia en el discurso textual debe probarse independientemente de las condiciones de la lectura. Debe probarse coperteneciendo en el discurso textual mismo, en el lenguaje fijado en forma. El texto debe poder decir por qué es posible dar en él con una obstrucción.

Texto, discurso textual, se dice en griego *logos*. *Legein* significa «decir», pero también «dejar-estar-delante» (Heidegger, «*Logos* (Heraklit, Fragment B 50)»). Es importante pensar simultáneamente ambas acepciones. «Dejar-estar-delante» en cuanto «decir» como acción del lenguaje ofrece tal acción como actitud, es decir, como «acción» que en cuanto tal está más allá de la oposición entre actividad y pasividad. El *logos* que deja-estar-delante no toca aquello que dice. Sin embargo, por decirlo, lo recoge y le da morada. Dejar-estar-delante como actitud del lenguaje —y del discurso textual— es un poner-delante que se acuerda con la verdad de los entes, se acuerda a ella porque deja, en el decir, que el ente surja de su oculta-

mi... e su olvido, y entre en la presencia. Decir se acuerda con la
ver... los entes, con el proceso de su entrada en la verdad, con su
pre... ...arse. Así, decir, originalmente, se acuerda con el ser de los
ent... ...ir es decir un desocultamiento, decir *aletheia*, verdad.

mie... ...rdad es primariamente un desocultamiento, entonces el oculta-
des... ...rtenece a la esencia de la verdad: la verdad sólo puede darse
hab... ...ocultamiento. En *El origen de la obra de arte* Heidegger,
pos... ...e la necesidad de suponer un «centro abierto» que garantice la
que... ...de pasaje entre el hombre y los entes, *Lichtung*, «claro» en el
ocu... ...ocultamiento toma lugar, postula la copresencia en él de un
recl... ...to doble: por un lado, el ocultamiento se da bajo la forma de
hon... ...negación, cuando el ente rehúsa mostrar su misterio y reduce al
con... ...la imposibilidad de avanzar más allá de un límite dado de
apar... ...to; por otro lado, el ente se oculta en la equivocación: «el ente
y si... ...o se presenta como otro del que es» («Ursprung» 42). Rechazo
tant... ...n: el desocultamiento procede de ellos y desde ellos, y por lo
debe... ...a está decidido de antemano. Debe siempre ganarse. Siempre
         ...un lugar de habitación:

Creemos estar en casa en el círculo inmediato de los entes. Lo que es,
...miliar, confiable, ordinario. Sin embargo, el claro está invadido por
...cultamiento constante en la forma doble de rechazo y disimulación.
...l fondo, lo ordinario no es ordinario; es extra-ordinario. (43)

C...   ...na casa para habitar con los entes: eso depende de la resolución...   ...da del conflicto entre ocultamiento y desocultamiento: «La na-
tural... ...la verdad es, en sí misma, el conflicto primario en el que se
gana...   ...ro abierto dentro del cual lo que es está, y desde el cual se
replie... ...a sí mismo» (43).
L...   ...ario, lo familiar, lo digno de confianza es extraño en el fondo
porqu... ...en el fondo cruzado por el ocultamiento, como negativa del
ente...   ...estarse más allá de un límite y como posibilidad patente de
equiv... ...Originalmente, en su manifestación, allí donde se gana el
pasaje... ...ello, lo ordinario es lo infamiliar, «innumerable rechazador».
La o...   ...ón en el pasaje hacia los entes es el encuentro con la
natur... ...e la verdad como región del conflicto primario. El discurso
textu... ...un decir original, si deja-estar a los entes, abre el centro del
confli... ...socculta el lugar donde ocultamiento y desocultamiento se
coper... ...Ese lugar, claro, accesible al poetizar, ganable también en el
pensa... ...lectura, pero nunca meramente accedido o ganado, lugar
prima... ...manifestación, en cuanto tal es el que requiere rememoración;
es el l... ...vidado, en el que según Heidegger siempre se ha estado pero
en el...   ...unca se construyó; lugar cuya rememoración requiere la
constr... ...de un camino; camino en la obstrucción.

Tierra y mundo

El «origen» del texto es siempre el logos entendido como respuesta y acuerdo al desocultamiento de lo que se dice. O quizás: el «origen» —origen que no origina ni da principio, origen entendido como lugar de manifestación— es el centro abierto que pide rememoración, pide el decir original que recoge y deja-estar-delante. Pero lo que el decir dice no es el conflicto primario. El conflicto primario pide el decir. Lo dicho es otro que ello, una diferencia y un desplazamiento con respecto de ello donde vuelve a darse la equivocación del des/ocultamiento. Lo que se dice no es el origen, sino siempre lo ya originado. El texto tiene una materia originada cuya estructura Heidegger describe en términos de «mundo» y «tierra».

El texto, al decir (*dicere, dictare, dichten:* poetizar), deja a los entes estar. Los recoge, les da abrigo, los trae a lo claro donde se gana el conflicto primario de su manifestación. El conflicto alienta en el texto, está en él recogido, dejado-estar. El texto toma lugar en el lugar del conflicto donde se decide la posibilidad misma de morada. Pero el lugar que toma es histórico. La tensión textual radica en la expresión histórica del conflicto primario. El texto, al tomar lugar en el conflicto primario, le da lugar histórico. Des-plaza el conflicto a la historia: el des/ocultamiento textual rememora siempre desde una posición específica. Esta posición del texto pone en primer lugar un mundo al ponerse en el mundo. Cada texto pone un mundo, entendido como «contexto relacional abierto» («Ursprung» 31) en el que se juega el destino histórico particular.

Pero el mundo se establece, textualmente, en un contexto material que lo admite en sí. Se pone en el lenguaje, en la lengua, en la palabra específica. La palabra es el suelo y el fundamento del mundo textual, del mundo histórico. En cuanto suelo, la palabra tiene la dureza y la resistencia de todo fundamento. En cuanto fundamento, tiene la impasabilidad de lo que no puede ser removido: la tierra, que abre la posibilidad de habitación para lo que habita en ella sustrayéndose ella misma a lo abierto. «La tierra aparece abiertamente en lo claro como sí misma sólo cuando es percibida y preservada como lo que es por naturaleza no susceptible de apertura, lo que se aparta de toda apertura y constantemente se mantiene cerrado» (36). Que el texto ponga un mundo, y que se proponga en la tierra, son los dos rasgos estructurales del discurso textual en los que se decide históricamente el conflicto primario de la verdad. Pero entonces ellos mismos pertenecen a ese conflicto.

La diferencia entre mundo y tierra no es mera desemejanza o alergia de uno y otra. Estructuras del texto, pueblan el texto en tensión estásica. La diferencia entre mundo y tierra, diferencia textual, establece y se establece como conflicto de copertenencia, entre lo coperteneciente. Mundo y tierra no se dan sin su otro, pero no se dan en quietud. En cuanto desplazamiento

del
en
to
tac
bie
la (
o (
me
pri
el
mo
dor
la |
per
del
abi(
los
ser,

...to primario de des/ocultamiento, la diferencia textual colabora ...icto, lo guarda, lo presenta en cuanto oculto, lo oculta en cuan- ...e. Lo manifiesta o, por el contrario, lo niega, rechaza su presen- ...equivoca y lo disimula. En cualquier caso, lo atiende. Ahora ...a necesaria vacilación se da una diferencia en la manifestación de ...ia. El desocultamiento ocurre, pero ocurre como lo que alcanza ...que no alcanza presencia. La obstrucción construye o simple- ...truye. En el segundo caso el mundo textual se retira; en el ...e da como morada posible. En ambos la tierra se propone como ...ento que debe ser ganado en la historia. Ganarlo, ganar la ...ar lo infamiliar. Lo infamiliar es la fisura en el fundamento por ...undo se retira o en la que el mundo permanece, la «fisura en ...lezamiana. Heidegger usa las palabras *Riss* y *Grundriss,* fisura ...én mapa, plano, diseño básico, para referirse a la configuración ...to entre tierra y mundo, «confisuración», no un mero hendirse ...suelo común sino más bien la «intimidad del copertenecerse de ...dientes», raja/diseño, *raya* que dibuja el contorno del claro del ...se decide el des/ocultamiento («Ursprung» 51).

Pen... ...oetizar

de l
la v
jueg
En
cob
pen:

...trarse en el diseño específico de la fisura es ganar la especificidad ...a, la articulación de mundo y tierra en el conflicto primario de ...enfrentar la diferencia textual; dejar que el des/ocultamiento ...uego, que la poesía (se) suceda como manifestación de *aletheia.* ...*miento de la tragedia,* Nietzsche, refiriéndose a los modos de ...o de la verdad artística, opone la actitud del artista a la del ...órico.

...Cuando quiera que la verdad se descubre, el artista siempre se ...rará con mirada absorta a lo que todavía permanece cubierto incluso ...tal descubrimiento; pero el hombre teórico goza y encuentra ...facción en lo que se descarta del cubrimiento y halla su más alto ...to de placer en el proceso de un des-cubrir siempre feliz que tiene ...o por sus propios esfuerzos. (*Geburt* 101-02)

rapt(
en s
cion
perc
obst
do a
para

...a contempla la fisura en la piedra oscura y su mirada logra el ...o en tal oscuridad: la oscuridad del ocultamiento que guarda ...osibilidad de luminosidad. Los ojos de lince (Nietzsche men- ...os de Lynceo, «*Lynkeusaugen* que brillan sólo en lo oscuro») ...claridad de lo oscuro, advierten el don brillante que yace en la ...nocturna; reconocen en el ocultamiento de lo que ya ha entra- ...encia, en el ocultamiento de la presencia, en ese conflicto que ...che es lo propiamente trágico, conflicto y lucha de Apolo y

Dionisos, la traza posible, la posibilidad misma de toda posición y exposición de un mundo sobre la tierra. En el ocultamiento del desocultamiento se descubre la raíz infamiliar de toda morada. Pero a la vez en lo infamiliar se celebra el don que permite toda institución, toda fundación, todo nuevo principio. La fisura, como región de articulación del conflicto primario de la verdad, que da tierra y mundo, y da la poesía, es la región original donde origen y falta de origen, donde suelo y· abismo, reciben el don y conceden la deuda de su diferencia. La fisura diseña y articula la diferencia textual de tierra y mundo, la diferencia de tierra y mundo en el texto. Así, la fisura configura el texto, le da figura, forma, lo hace obra.

¿Es sólo el artista el que conoce la configuración de la verdad poética en la obra? Pero la obra se preserva como tal obra, en forma y figura de tal, no solamente a través del artista. El intérprete conserva la obra esencialmente. Pero el intérprete es ciertamente de manera señalada tanto el que se deleita y halla su satisfacción en el descubrir y descubrirse de la verdad poética como el que guarda y se guarda en la obstrucción textual. Quizás incluso la única manera genuina que tiene el intérprete de lograr la visión de lo oculto, de preservar la obstrucción textual, es a través de su propio trabajo de iluminación y clarificación, en la busca del límite de la iluminación. El intérprete es entonces el sujeto teórico de Nietzsche. Al menos debe concederse que el intérprete es *también* el sujeto teórico nietzscheano, y por el período más largo, cabalmente hasta que debe dejar de serlo: hasta que su trabajo de iluminación lo enfrenta con el último rechazo de lo oscuro, hasta que lo iluminado es el necesario ocultamiento. La teoría avanza así hasta la fisura. La teoría de la fisura pertenece al teórico. El teórico es el que conoce y el que reconoce la obstrucción, y el que en la obstrucción encuentra una frontera, raya diferencial cuyo trazado diseña por primera vez la oposición misma, el conflicto entre artista y teórico, entre arte y pensamiento, entre poetizar y pensar: fisura.

Pensar para el teórico es llegar a la fisura trazada en la poesía: volver a lo ya dicho, figurado en la obra poética. Poetizar es instaurar la fisura en cuanto tal, efectuar una nueva alianza de tierra y mundo, abrir el claro, hacer todo eso o dejar que se haga. El teórico busca lo no-manifestado, lo oculto en la claridad. El poeta deja que el conflicto de des/ocultamiento entre en la obra y se haga obra. Así la fisura de pensar y poetizar se traza en la frontera de la poesía, porque esa frontera —límite de figuración— entrega por primera vez lo no-figurado, la diferencia en la figuración que el teórico contempla y desoculta. La entrega al pensamiento.

La fisura entre pensar y poetizar atañe al conflicto de la verdad, a la diferencia entre lo cubierto y lo descubierto en toda manifestación de verdad. Si lo que interesa es ver aquí la diferencia textual tal como se da en el texto poético para el intérprete, hay que preguntarse cómo o dónde la obra, la figura, inscribe en sí la posibilidad de tratamiento teórico, y cómo el tratamiento teórico se articula con la visión poética. La fisura de

petizar es aquí considerada en términos de configuración textual, aunque basa, la diferencia discursiva; tampoco es la diferencia
intensiva, aunque también le da lugar. En última instancia, la diferencia pensar y poetizar, figura a su vez del conflicto originado de la
verdad no des/ocultamiento en el texto, es el punto de cardinación de
la diferencia actuante en cada uno de los tres términos de la expresión
«sujeto de la interpretación poética».

Que la fisura de pensar y poetizar organice un principio jerárquico de diferencia. La estructura aquí actuante no es la de una economía
principio según la cual las diferencias se articulan en torno a una diferencia representativa. El fundamento sigue siendo en todo caso la falta/deuda
de fundamento, fundamento de una economía sin principio, ley de una
casa en el abismo. Lo que hay no se origina, pero está ya siempre
origina en la claridad sobre oscuro en la que se da, *Lichtung* sólo abierta
a su por lo que hay, en su presentarse.

La fisura de pensar y poetizar, que traza su copertenencia y su
tensión física, organiza la diferencia en el proceso interpretativo; mejor,
organiza el discurso, mi discurso, discurso de este sujeto sobre la interpretación ría, precisamente porque pensar y poetizar son las actividades
que la tarea propuesta y expuesta. Y la organiza desde la diferencia traza raya y frontera de la obstrucción del significado en el texto,
porque diferencia textual, inscripción del conflicto primario de la verdad des/ocultamiento, inscribe necesariamente el pasaje del sujeto,
tanto estructuralmente (diferencia discursiva) como históricamente (diferencia
interpretativa).

El experimenta en la configuración textual la necesidad de una
transición. El trans- ha sido descrito en los capítulos anteriores como
el pasaje un más-allá de la figura metafísica, *meta-morfe*. Pero el pasaje
era angosto, obstruso, como debe serlo el pasaje por una fisura
en la Pasaje ¿adónde? El dónde se guarda en el silencio, el silencio
de lo desafía la iluminación en primer lugar porque ampara la iluminación: silencio de la fisura abismal. La figuración alcanza la obstrucción su punto fronterizo, obstruyente de la trans-figuración. El sujeto interpretante en el texto, en deuda de interpretación, deuda de conocimiento teórico, encuentra en la fisura la frontera de su contemplación. con mirada raptada su disolución como sujeto teórico, su
pasaje poetizar desde lo oculto, lo oscuro. En la frontera de pensamiento
y poe sujeto interpretante encuentra su última inversión: «¿Llevará
esta inversión *(Umschlagen)* a siempre nuevas configuraciones del genio, y
especialmente del *Sócrates que hace música* [es decir, del teórico de la
fisura] *urt* 106). La pregunta de Nietzsche es también estructural e
historia refiere tanto al sujeto individual (cf. los «hombres nobles y
dotados» alcanzan «puntos fronterizos») como al sujeto historial
(«miren las esferas más altas de nuestro mundo; veremos cómo el

ansia de conocimiento insaciable y optimista... se ha invertido en resignación trágica y destituta necesidad de arte» [*Geburt* 105]). La contestación depende, para Nietzsche, de la posibilidad de la nueva manifestación del dios-artista, la apocalipsis de Dionisos, regenerado en la disolución del sujeto teórico, renaciente en la fisura misma que traza y obstruye la figuración; pendiente por lo tanto de que la inversión del intérprete en la frontera de la poesía tome lugar como una vuelta a la edad trágica, un reconocimiento de la deuda trágica, una rememoración de la inversión dionisíaca.

La rememoración de Dionisos es rememoración del estado de cosas previo al desarrollo del socratismo lógico, de la filosofía dialéctica. Pero es claro que para Nietzsche tal retorno no sigue el camino del olvido de la metafísica: no dobla el olvido de Dionisos con la intención del nuevo olvido de la lógica. Nietzsche dice que la nueva configuración debe serlo del «Sócrates que hace música», es decir, el pensador tiene a su cargo la inversión que cubra la deuda musical, lo dionisíaco. Por el camino —angosto— trazado por la fisura, camino entre el pensar y el poetizar. «El pensar y el poetizar deben volver a donde en cierta manera siempre han estado pero aún así nunca construyeron» («Seinsfrage» 423). ¿Cuál es esta posible construcción, y cómo prepararla? ¿Cómo prepara el pensar teórico la vuelta de la poesía a su propio origen? Pensando la fisura, la articulación diferencial, el lugar del des/ocultamiento de la poesía. Esa tarea de pensamiento sólo puede preparar la revelación poética.

> El establecerse de la verdad en la obra pro-yecta lo *unheimlich* y lo extraordinario y al mismo tiempo re-yecta lo ordinario y lo que tomamos por tal. La verdad que se revela en la obra no puede nunca ser derivada de lo que había antes. Lo de antes queda refutado como realidad exclusiva por la obra. Lo que el arte funda, por lo tanto, nunca puede ser compensado por lo que ya es presente y accesible. Fundar es un sobreflujo, una dotación, un don. («Ursprung» 62)

El don de la fundación poética sólo puede ser preparado por la labor del pensamiento, la teoría que mira y ve en la fisura la necesidad del don, de la donación en lo oscuro, la que en la fisura descubre el hundimiento de lo familiar previo, y por hacerlo deja abierta la región para una reconstitución del mundo. Pero la reconstitución viene como un don extraño. Por eso la manifestación de lo no-familiar, donación poética, funda ella sola la posibilidad de casa. Esa posibilidad física, trans-metafísica, quizás sea la apocalipsis que esperamos, el fin o el origen de nuestra deuda, el orden de nuestra casa, *oikonomia*.

E[dici]ones

Pri[mera p]arte: Diferencia textual y diferenciación estética en *De donde son los cantantes* de Severo Sarduy

[La edi]ción Seix Barral (1980) de *De donde son los cantantes* (1967) tien[e en su]s primeras páginas un texto breve de Roland Barthes titulado «La [faz ba]rroca». El texto de Barthes, en cuanto prólogo, tiene una doble cali[dad eje]mplar. Es doble en primer lugar porque su tema principal es la ejer[plarida]d misma del libro que designa, y así lleva al colmo la función rec[urren]te de todo prólogo; en segundo lugar, porque insiste de tal man[era en] la concreta ejemplaridad de la novela de Sarduy que amenaza trai[cionar l]a libertad significante de ésta para convertirla, no ya en lo ejem[plar si]no en el ejemplo señalado por el discurso teórico. Simultáneamen[te «la f]az barroca» establece la novela como ejemplar y como ejemplo, [como] modelo y como simulacro: modelo a partir del cual se formula, en p[rincipi]o, el pensamiento crítico que la exalta; pero también inmediatame[nte sim]ulacro de un pensamiento crítico que la absorbe. Digamos que despu[és de] la lectura del prólogo, desde la perspectiva abierta por el pról[ogo la n]ovela de Sarduy deberá ser leída por referencia a la ejemplaridad mod[elo en] que el prólogo la instituye; lo cual es también decir: como ejem[plo de t]al ejemplaridad, como simulacro o copia de ella.

L[a parad]oja no es nueva ni la ha inventado Barthes. Está más bien impli[cada en] todo discurso interpretativo con respecto de su objeto de interp[retació]n. La interpretación no puede escapar a esa doble condición de es[clava y] señora de lo que interpreta, por lo mismo que todo discurso poéti[co pare]ce estar preso en la simultaneidad de ser soberanamente lo que e[s y ta]mbién de ser sólo aquello que significa para otros. Hay una difere[ncia te]xtual entre literalidad y significado que es eminente en el texto [poétic]o. Para Gadamer constituye el rasgo diferencial de la palabra literar[ia en l]a su definición del lenguaje poético como aquello que «no sólo s[ignifica] algo sino que es en sí aquello que significa» («Philosophie» 31). L[a difere]ncia textual explica la necesidad de proliferación interpretativa con r[especto] de un texto poético dado; y no sólo la proliferación, sino tambié[n la in]terminabilidad misma de todo proceso de interpretación. La interpretación, al dirigirse a la exégesis del significado, debe forzosamente abandonar la captación exhaustiva del significante, que marca a perpetuidad su diferencia irreducible, y por lo tanto también su continua disponibilidad para producir innumerablemente nuevos significados, bajo la acción de la interpretación.

Volvemos al caso Sarduy-Barthes. La polaridad significante/significado —una polaridad que Heidegger determina explícitamente como sostenida en la perspectiva metafísica de las lenguas occidentales («Gespräch» 98) —esa polaridad cohonesta .y quizá motiva el doble juego barthesiano: como significante, la novela de Sarduy es ejemplar, y el discurso prologal, de alcance crítico e interpretativo, establece esa ejemplaridad escribiendo por referencia a ella; en este sentido, el texto de Barthes sería, humildemente, el juglar o el maestro de ceremonias de un espectáculo cuya verdad él puede sólo transmitir, pero que es previa a él y que le desborda. Como significado, sin embargo, la novela de Sarduy es apresada por el discurso crítico, su verdad es desplazada y digerida, es de hecho robada, fundida y puesta de nuevo en circulación como verdad crítica a la que el texto debe someterse. Toda posible desviación del texto significante con respecto de su versión crítica será interpretada como inadecuación poética a la tersura y simplicidad de la teoría. El texto novelístico es, a partir de ese instante, una ejemplificación más o menos lograda del tipo de proposición que la crítica ha establecido. Así, la diferencia textual posibilita el juego que podemos llamar quiásmico, y literatura y texto crítico perduran en el tren especulativo que hace del uno el modelo cuando el otro es su simulacro y viceversa.

Lo interesante del caso que nos ocupa no es su carácter universal, no es precisamente su ejemplaridad con respecto de todo caso de literatura interpretada. La ejemplaridad no es siempre interesante. «La faz barroca» en relación con *De donde son los cantantes* tiene a mi juicio un interés especial por el hecho de que Barthes tematiza en su texto la diferencia textual. Digamos que hace explícita de manera tangencial, señala o remite a su propia ceguera. Ese borde de luz resalta la ceguera central —aparente— de Barthes sobre la función represiva de la crítica, que él es supuestamente el primero en combatir. Pero hay además otra cosa: el prólogo barthesiano encuentra en las últimas páginas del libro, como nota postdatada de Sarduy, un comentario de naturaleza crítica. Susceptible de ser leído como réplica y mentís *avant la lettre* al texto de Barthes, el comentario culmina sin embargo en una curiosa exculpación por la propia escritura poética y su insuficiencia. De nuevo el discurso crítico, pero esta vez desde coordenadas opuestas, condena la poesía a la posición de simulacro con respecto de un modelo ideal que sólo puede ser vislumbrado pero nunca hecho presente.

Estas páginas examinan en parte lo que hay que empezar a considerar una tremenda sobredeterminación crítica del texto novelístico mismo en y

marco que lo encuadra. Prólogo y nota final, el uno de Barthes
de Sarduy, se presentan inconspicuamente, el uno como exalta-
otra como excusadora del texto en cuestión. La sospecha es que
ones están cruzadas y. que deben ser en realidad máscaras de su
Y peor aún: la sospecha es también que en el prólogo y en la
funciona una dura voluntad de encubrimiento que es en última
resistencia a aceptar la beligerancia insobornable de la diferencia

zás no. Quizás todo se trate de una broma de Barthes y de
uizás haya entre ellos una con-fabulación cómplice que desplaza
e y hace del prólogo y del epílogo, por la con-fabulación, parte
la o de la novela misma. Quizás la estratègia es más bien afirmar
iamente, por el procedimiento irónico de la negación, la radical
de un texto que burla a sus exégetas represores, que no admite
bajo la identidad modélica ni la simulada, que resiste indefini-
odo intento de jerarquización de lo que difiere en la diferencia.
o las torpes máscaras del discurso enaltecedor y de la retórica de
o haya una alegre disimulación paródica.
logo de Barthes y la nota final de Sarduy encuadran el texto y
to constituyen su marco. Hay que preguntarse ya qué puede
este encuadramiento o enmarcación de la poesía, de por sí, y si
o contingente o necesario. A mi juicio la noción gadameriana de
ión estética» tiene relevancia para estas cuestiones. Gadamer
aparición histórica de la diferenciación estética en el siglo XVIII
concretamente en la *Crítica del juicio* kantiana, como fenómeno
con la subjetivización radical de la estética. Desde Kant y
educación estética disuelve la conexión de la obra de arte con
La conciencia estética realiza una abstracción que autonomiza
e arte ignorando sus elementos extraestéticos, es decir, su
, función, significado» (*Wahrheit* 81). Entonces la conciencia
convierte en el centro de experiencia desde el que se mide todo
ede ser materia de arte. El llamado por Gadamer «contenido
es decir, el polo del que la conciencia estética hace abstracción,
l significado en una palabra, pasa a ser meramente, antes de su
ión estética, «material que espera su formación» (87). Así la
estética se constituye sobre una peculiar diferenciación entre
entido de la obra artística, diferenciación que la conciencia
isma crea, y que desde entonces viene a ser el marco para la
ón de la obra de arte.
ciencia estética, en la que se opera la diferenciación estética
a y contenido del arte, determina nuestra experiencia artística
referimos insistir en la importancia del «contenido objetivo» de
erando así la jerarquía. Cualquier inversión de la jerarquía no

95

hace sino afirmar la validez profunda de la diferenciación a partir de la cual la jerarquía puede constituirse.

Puede pensarse que Kant no hizo más que formalizar una diferenciación desde siempre implícita en la cultura occidental; por lo tanto, que el origen histórico de la diferenciación estética se remonta a mucho más allá del siglo XVIII. Por supuesto. Pero incluso si rastreamos la diferenciación estética hasta los albores mismos de Occidente, o del pensamiento de Occidente, ello no priva al siglo XVIII, y con él a la modernidad, del hecho de su tematización explícita. Nuestro tiempo tematiza la diferenciación estética al dotar a la conciencia estéticamente formada de alcance universal. Desde el romanticismo el artista debe necesariamente asumir la conciencia estética; lo cual supone que el arte de nuestro tiempo no puede ser experimentado más que como juego, en el seno mismo de la obra, entre forma y contenido, significante y significado. Así la diferenciación estética es el marco de la poesía en nuestro tiempo. Lo esencial de la modernidad, insisto, no es el reconocimiento de la diferenciación, sin más, sino su extrema «estetización», valga la palabra. La modernidad sitúa el polo objetivo de la obra como mero «material que espera su formación».

La poesía, el arte en general, se expresa en nuestro tiempo como demarcación en el ámbito de la diferenciación estética. Aunque quizá puede decirse que la poesía se manifiesta actualmente como marco mismo de la diferenciación estética, en el siguiente sentido: la verdad que la poesía revela es ahora una verdad que concierne fundamentalmente al misterio de la relación, en el seno de la palabra, entre potencia significante y significación, entendida la significación, negativa y positivamente, como repertorio de disponibilidad para la creación. La relación de poesía y diferenciación estética es por tanto la de un marco y su cuadro, pero las posiciones tienden a alterarse. El hecho es menos sorprendente de lo que parece. En realidad, si el marco enmarca al cuadro, no es nunca menos cierto que el cuadro encuadra al marco.

¿Qué sucede en *De donde son los cantantes* (1980)? Si la poesía es parcialmente el marco de la diferenciación estética, ¿qué significa enmarcar el marco, que es sin duda la función más notable de un prólogo como el de Barthes? Aún más, ¿qué significa la nota final de Sarduy, cuyo efecto es no solamente el de una desmarcación de la novela con respecto del prólogo barthesiano, sino también y por ende el de un encuadramiento del prólogo mismo en su función radicalmente engañosa? Cabría preguntarse también, pero yo no lo haré, qué significa en este contexto mi propia actividad de enmarcar y resaltar tan violento conflicto de marcos. Antes, por supuesto, de poder optar por una aclaración conviene examinar algunos aspectos del «polo objetivo» del entramado encuadrante. ¿Qué es lo que dice Barthes y cómo responde Sarduy?

Barthes comienza por denunciar en la cultura francesa la represión del significante por lo que llama el «fondo». A pesar de la «explosión barroca»

irrupción de la poética mallarmeana, Barthes opina que «la
a francesa sigue en una situación regresiva» (3). Para vencer tal
es preciso, según Barthes, recuperar un significante libre, entendien-
libre» liberado de la opresión del «pensamiento». La novela de
modélica para la escritura francesa en la medida en que en ella
ifica el reino de esa libertad significante. Hasta aquí Barthes se
combatir la jerarquía que él supone privilegiada por la cultura
desde dentro de la conciencia estética. Su toma de partido a favor
significante o formal de la diferenciación es tan señalado que no
adjudicarle el máximo valor, perteneciente tradicionalmente al
esto: el valor de verdad. «[*De donde son los cantantes*] viene ahora
nos que... existe un placer del lenguaje, de la misma textura, de
seda que el placer erótico, y que este placer del lenguaje es su
). La verdad del lenguaje es el placer textual. Barthes manifiesta
na conciencia estética extrema, que, si bien invierte la supuesta
clasicista, está en radical coincidencia con lo que Gadamer
a como propio de la modernidad desde la revolución kantiana.
ersión jerárquica con respecto del clasicismo francés no es más
odo de propagar la diferenciación estética, y por lo tanto, lejos
r una liberación genuina, insiste en la misma represión que dice
La paradoja es ya obvia en el hecho de que Barthes debe servirse
objetivo» de la diferencia estética como único modo de exaltar
: al dar el placer significante como significado auténtico y así
tual, Barthes quizá consiga desplazar la noción tradicional de
significativo, pero sólo para restaurarlo renacido bajo otra máscara.
privilegiaba el fondo como fondo, ahora se privilegia la forma
omo fondo. Si antes el auténtico significante era el significado,
téntico significado es el significante. La represión inducida por
ismo de la diferenciación estética sigue inamovida. Con ello el
arthesiano enmarca la novela de Sarduy bajo el signo de la
llá donde la cita como modelo de una liberación. Quizá las
uedan ser de otro modo: quizá toda ejemplificación sea necesa-
represora; quizá toda liberación se encadene a la necesidad de
puesto; quizá toda desmarcación, al desmarcarse con respecto
o diferencial, caiga simultáneamente presa de ese marco del que
rescindir para afirmarse.
rthes va más allá en su prólogo, con una frase al menos que no
máticamente, cifrarse sólo bajo la lógica de la diferenciación
iertamente Severo Sarduy cuenta "algo" que nos inhala hacia
dirige hacia la muerte de la escritura, pero ese algo es libre-
azado, "seducido", por esta *soberanía* del lenguaje, que ya Pla-
a refutar en Gorgias, inaugurando la represión de la escritura
uestra cultura occidental» (5). La oposición fondo/significante
o de funcionar en este pasaje, pero en su lugar, en tensión con

ella, se constata una seducción interpretada como el conjuro de una muerte. El elemento seductor es ahora el lenguaje soberano, mientras que lo seducido es un «algo» indefinido del que lo que se conoce es su valor represor y asesino. El proceso de seducción es el proceso de desplazamiento de esa energía mortífera. La relación de antagonismo como absoluto rechazo mutuo, lógica del martillo que preside en general toda relación de opuestos, es aquí sustituida por una relación que puede llamarse de acomodación invaginante. La escritura soberana, instancia seductora según Barthes, distrae el punzón dañino de su enemigo hacia allá donde no puede ejercer daño alguno —hacia allá donde su misma energía de violación y muerte quedará transmutada en fuerza fecundante y vital.

Alcanzamos así a ver cuál es el sentido de la expresión barthesiana de placer como verdad textual. El placer del texto radica en la consumación de una seducción, entendida como acomodación por parte de la escritura del elemento que en ella quiere su muerte: acomodación invaginante en la que lo invaginado, sin perder su violento filo, es puesto por la escritura al uso de su propia fecundación y así propagación triunfante. Con ello aún no conseguimos entender plenamente esa noción de verdad textual. Pero nos acercamos a ella en la medida en que la verdad parece querer afirmarse en su diferencia con respecto de la diferenciación estética; en que, por el hecho de que coparticipa en las instancias opuestas de la diferenciación, se revela, o parece revelarse, al margen de ellas; al margen de ellas, es decir, en su marco: la verdad textual puede ser el marco de la diferenciación estética.

Pero afirmar la escritura como proceso de seducción del elemento que en ella quiere su muerte no es de por sí y necesariamente desmarcarse de la diferenciación estética. Barthes parece volver a afirmar la soberanía del significante como último significado en la frase siguiente: «En *De donde son los cantantes...* vemos desplegarse el gran tema propio del significante, el único predicado de esencia que puede sostener realmente, y que es la metamorfosis» (5). Ante esta frase, sin embargo, conviene ejercer precauciones. La metamorfosis del significante es el único posible predicado de esencia para el significante por una razón cuya insondabilidad puede, efectivamente, causar la ruptura de la conciencia estética. La razón es: la metamorfosis del significante, aun no siendo idéntica, es indistinguible de la metamorfosis del significado. En la metamorfosis como identidad, predicación de esencia, revienta inexorablemente la lógica que opone identidad y diferencia por el hecho de que en la metamorfosis identidad es diferencia y diferencia es identidad. La metamorfosis del significante no precede ni sigue a la metamorfosis del significado, porque la metamorfosis disuelve la oposición de los términos y revela la imposibilidad de asignar una prioridad. La metamorfosis destruye la jerarquía precisamente porque no la invierte, porque desplaza hacia el abismo toda inversión al negar en

...cia la constitución de lo idéntico; o al afirmar la identidad como
...

...si todo ello está efectivamente implícito, y por lo tanto entendido
...xto de Barthes, ¿cómo es posible que Barthes recaiga en la
... a favor de la diferenciación estética que parecen delatar otra vez
...ntes palabras: «Para ser admitido en la buena sociedad de las
... *De donde son los cantantes*] le falta esa pizca de remordimiento,
... de culpa, esta sombra de significado, que transforma la escritura
...n y la recupera así, bajo el nombre de "obra bella", como una
... útil para la economía de lo "humano" (6)? Creo que para
...como conviene este nuevo gesto de Barthes hay que dirigirse a la
... de Sarduy.

...ta está casi íntegramente dedicada a una explicitación reflexiva de
...sos metamórficos que tienen lugar en la novela. En cuanto
... sobre el texto que precede, la nota tiene características de
...crítico o interpretativo. El discurso interpretativo enmarca al
...poético al explicitar un significado entre todos los posibles.
... punto de vista Sarduy entra de lleno en la noción de que su
...ne al menos un significado que merece subrayarse, y permanece
... al margen de la pretensión estética según la cual la poesía debe
... pura libertad del significante.

...xiste la posibilidad de leer la nota de Sarduy como parte de la
...sma, y así no como discurso interpretativo sino como discurso
...te poético. La nota sería la última rotunda metamorfosis de la
... virtud de la cual la libertad significante de la poesía significa
...l análisis y la postulación de significados. Al desmarcarse de su
...crítica para entrar en el marco poético, la nota destruiría la
... de discursos en la creación de una especulación infinita entre
...ruir la oposición está aquí muy lejos de significar la creación de
...identidad de discursos. Destruir la oposición significa mantener
...metamorfosis discursiva como nuevo marco de revelación de la
... textual. Pero la diferencia textual no es la diferenciación
...s, más bien, la diferencia primaria que hace la diferenciación
...osible, si no necesaria. Y es, por lo tanto, la diferencia que
... condiciones de vencimiento de la diferenciación estética.

... nota como parte de la novela es solamente posible. Conviene
...rvar la indecidibilidad, porque lo indecidible es el fundamento
... toda diferencia que no aspire a resolverse en identidades. En
...caso, sea discurso crítico, poético, o ambos, la nota enmarca de
...el prólogo de Barthes, imponiendo cierto encuadre para su
...ste efecto de entrelazamiento, notemos, se debe al estátus
...el escrito final. La poesía no puede por sí enmarcar el discurso
...re sí misma —a menos precisamente de adoptar su diferencia y
...e en simulacro, metamorfosearse en su otro, hacerse espejo de sí

misma. Ahora bien, esta trangresión metamórfica ¿puede realmente hacerse con impunidad? ¿No induce una deuda? Pero quizá más que inducirla la presupone. Sin duda, ¿para qué moverse hacia la metamorfosis, que es una indudable inversión y gasto de la identidad en la diferencia?

Según Barthes, a la novela de Sarduy le falta toda culpa porque le falta todo significado. Sin culpa, la novela no entra en el circuito económico de lo humano, dice Barthes. Sin embargo carencia de culpa es sólo otra forma de decir deuda de deuda, falta de falta. Por el hecho de no tener significado, en los términos de Barthes, *De donde son los cantantes* entra en deuda de deuda. Su endeudamiento es doble y paradójico: la deuda por carencia de significado, deuda del significado, es necesariamente adeudada por el significante. El significante, si produjera el significado, dejaría de adeudarlo. Pero en ese caso, al haber significado, volvería a haber culpa, es decir, deuda. La novela está, ciertamente, bajo una condición económica, en tanto especula con la amortización de una deuda —que es lo que Barthes ya ha llamado conjuro de la muerte de la escritura.

El movimiento hacia la metamorfosis refleja esa necesaria especulación de la deuda entre significante y significado. La metamorfosis del significante está en deuda con el significado, y toda metamorfosis del significado adeuda al significante. Es, entonces, absolutamente pertinente que Sarduy termine su nota con unas palabras exculpatorias, que por serlo son a la vez pagadoras y acreedoras de la deuda poética:

> Entre sus figuras constantes, a lo largo de los siglos, la Retórica ha catalogado la *excusatio propter infirmitatem*, esa confesión de modestia, de incapacidad ante el tema a tratar, que debe preceder todo discurso. No la utilizo aquí (aunque esta denegación sea una de sus formas): la impertinencia de las páginas que preceden la declaran por mí, de sobra. (153)

Incapacidad para el tema tratado, que es el tema de la metamorfosis; insuficiencia de la escritura poética, definida en términos críticos como petición de perdón y así reconocimiento de culpa. Estas palabras contradicen el final del prólogo barthesiano tanto como el prólogo las contradice a ellas. La contradicción crítica llega así a configurar el marco de la poesía, pero a su vez, en la medida en que el marco poético ha quedado establecido como metamorfosis diferencial de significante y significado, el marco encuadra la contradicción crítica disolviendo las identidades a partir de las cuales la contradicción es posible. Si la nota de Sarduy produce la posibilidad de ser leída como parte de la novela misma, como transfiguración y máscara de la novela, el prólogo de Barthes debe seguir el mismo destino. El prólogo de Barthes es, indecidiblemente, instancia enmarcadora y enmarcada, en virtud del efecto de especulación que en *De donde son los cantantes* metamorfosea el discurso novelístico en discurso crítico y viceversa.

...nde son los cantantes (1980) alcanza una ruptura de la conciencia
...por afirmar la imposibilidad de que la diferencia textual puede
...rse en identidades. El reconocimiento de la diferencia textual en
...ferencia, el reconocimiento de la metamorfosis perpetua de
...te y significado, es lo que para Barthes determina una verdad
...ue puede ciertamente establecerse como placer del texto y placer.

...el placer no es aquí consecuencia de la irrupción violadora que
...afirmar el dominio en la toma de posesión fálica. No hay aquí
...posición sino más bien un continuo desplazamiento de posiciones
...es define como seducción. Que la escritura seduzca e invagine
...ue amenaza destruirla, que es en primer lugar la diferenciación
...el establecimiento subsiguiente de jerarquías de poder entre
...te y significado, esta invaginación seductora es lo propiamente
...de placer en *De donde son los cantantes,* y así su verdad textual.
...antes verdad textual como marco de la diferenciación estética
...tiempo. Hablar ahora de la verdad textual en *De donde son los*
...como continuo desplazamiento de posiciones, como metamorfosis
...ado y significante, equivale a postular el marco como desmarca-
...esmarcación no niega el marco, sino que lo repite y lo afirma en
...movimiento diferencial que la constituye. Diferenciarse con
...del marco, diferenciarse con respecto de sí misma, he ahí la
...reveladora de verdad poética en *De donde son los cantantes.*
...*Fragmentos póstumos* Nietzsche define el placer como conciencia
...cia, *Differenz-Bewusstsein* (*Nachgelassene* 8.3: 92; 14 [121]). El
...el resultado de una intensificación diferencial con respecto de sí
...a intensificación es para Nietzsche aumento de la sensación de
...ntirse más fuerte es lograr alegría. Para Nietzsche la alegría
...e siempre una comparación —no necesariamente una comparación
...los otros, sino consigo mismo, en el seno de un estado de
...y sin que se sepa de partida la medida de la comparación»
...sene 8.2: 352; 11 [285]). Lo que en esta definición queda
...es la necesaria diferencia en el seno de toda experimentación de
...diferencia textual produce indudablemente placer porque la
...ética, en ella revelada, surge no como identidad sino como
...con respecto de sí misma.
...bien, determinar la verdad textual como diferencia textual es
...ente incluir la no-verdad en la verdad. La particular revelación
...cluye la no-verdad como aquello a partir de lo cual la verdad se
...enmarcándose. La no-verdad debe entenderse positivamente
...avía-no-verdad, como posibilidad de manifestación de verdad
...marcación poética guarda la manifestación de la verdad, y al
...mpo, afirmándose como diferencia, revela la posibilidad de una
...ión otra de la verdad. Esta otredad permanece enigmática. Sin

embargo, la sola percepción de este enigma basta ya para deshacer la fijación de la literatura, y de la reflexión literaria, como mero juego opositor de significante y significado, como mera sumisión a la alternancia de modelo y copia, de ejemplaridad y ejemplo.

La otredad de la verdad poética, preservada en la verdad como marco de la poesía, añade a la diferenciación estética la fecunda relación metamórfica, y su enérgica producción de alegría. Pero la alegría, por ser producto de una comparación diferencial, todavía postula la tristeza primaria de una actividad enmarcativa, en la que poesía y crítica figuran como meros encuadradores de su opuesto. De ahí la necesidad deprimente de encuadrar el marco, que existirá hasta que desaparezca el cuadro mismo, en el mediodía nietzscheano en que la destrucción del mundo verdadero apareje también la destrucción del mundo de las apariencias; el mediodía en que modelo y simulacro den paso a una nueva mímesis; en el que la poesía desborde su marco y anegue hasta el concepto mismo de metamorfosis[1].

Segunda Parte: Lectura auténtica y «Muerte de Joyce» de Lezama

> Hemos salido de nuestro hogar
> y debemos pagar
> el precio del prodigio
> (Fuentes 70)

1. Diferencia discursiva y lectura auténtica

1.1. El tercer lector

En marzo de 1941 Lezama escribió un breve ensayo necrológico que tituló «Muerte de Joyce». El ensayo no pasa de dos páginas. Sin embargo, Lezama inscribe en él una definición de la lectura auténtica, por el recurso de proponer una lectura apropiada a Joyce, propia para Joyce.

«Auténtico» procede de una raíz griega que significa «lo mismo, lo propio». La lectura auténtica es la lectura propia, por oposición a la lectura impropia, inauténtica o inapropiada. Hay algo paradójico, o por lo menos enigmático, en el hecho de que la más propia lectura sea la lectura más apropiada. En el concepto de lectura auténtica funciona una doble apropiación: la lectura, por una parte, se apropia el texto escrito sobre el que se ejerce; por otra parte, se apropia *a* ese texto escrito, es decir, es

---

[1] La noción heideggeriana de *Ge-Stell*, palabra que muy inadecuadamente puede traducirse por «marco», ha servido para la escritura de estas páginas. Cf. esp. «Die Frage nach der Technik» en *Vorträge;* y también «Der Ursprung des Kunstwerkes» en *Holzwege*.

por él. De apropiarse de algo a ser apropiado por ello hay una
La lectura auténtica es un acontecimiento de doble apropiación
el sujeto lector se invierte en la escritura tanto como la escritura
en el sujeto lector.

...ir» es en castellano poner al revés, dar la vuelta, poner cabeza
cualquier caso, supone subvertir la postura propia y alcanzar
—...cometer— algo así como una impropiedad. Ese es el estatuto
...o de la lectura: cuanto más propia, cuanto más auténtica, tanto
...ine por recurso a su impropiedad radical. En las inversiones de
...scritura se produce un cruzamiento y un entrecruzamiento: una
...n de lo que es propiamente lectura y de lo que es propiamente
...La doble apropiación de la lectura es tal que cada una de las
...nes desapropia a la que la confronta. Hay una tensión permanente
...dos factores simultáneos y contradictorios: la apropiación de la
...ierte la escritura y la apropiación de la escritura invierte la lec-
...ez: la lectura auténtica es un acontecimiento de doble des/apro-
...or qué entonces seguir llamándola auténtica? Dejo la pregunta
...estada.

...r» tiene también el significado económico de gastar, no como
...ino como medio de capitalizar en una ganancia futura. El que
...dinero espera que esa inversión produzca y de frutos. La
...e opone al ahorro —capital inútil, sustraído de la circulación—
...erto sentido se oponen la vida y la muerte: la inversión está
...lado de la vida. La muerte no invierte ni hay inversión en la
...lectura auténtica proyecta, en cuanto doble des/apropiación de
...scritura, su mutua inversión. La inversión mutua es fecunda-
...del lado de la vida, y quizá precisamente porque desapropia,
...opio y fuerza a la asimilación en lo ajeno, en lo extraño, en

...é Lezama elige llamar a su ensayo sobre la lectura auténtica
...Joyce»? O al revés: ¿por qué una nota necrológica puede con-
...un ensayo sobre la lectura auténtica? Este escrito se orienta en
...arcado por esas preguntas. Puedo de entrada dar cuenta de
...a demasiado fácil. Se puede argüir que la muerte de la persona
...justamente la vida autónoma de sus obras. La lectura autén-
...ra de Joyce sería la que reconstruyera en la autonomía de la
...ceana la intencionalidad propia del sujeto de la escritura. Se-
...sión leer auténticamente supone la muerte del autor.de la es-
...o instancia separada de la escritura misma; es decir, supone
...no hay más autor que el confinado en la escritura misma, su-
...o en la escritura. La muerte de Joyce se celebra como manera
...e para encontrar un acceso auténtico a su obra. Por eso la
...oyce puede ser el origen de un ensayo sobre la autenticidad en

103

Pero esta versión, aunque pueda guardar cierta exactitud parcial, olvida la doblez en la apropiación; no considera que la muerte de Joyce no es más estructuralmente necesaria que la muerte del propio sujeto de la lectura; sobre todo, olvida que la muerte de Joyce, en la medida en que afecta a la lectura de su obra, es siempre sólo la muerte de un fantasma, como por otra parte el sujeto que muere en la lectura es también un sujeto fantasmal: el sujeto previo a la lectura, que deja en la lectura de tener existencia y se hace sólo memorable como traza espectral en la inversión. Pero en efecto: vive como traza espectral. La muerte del fantasma es siempre radicalmente problemática, porque los fantasmas son, exactamente, los que viven después de su muerte —los que en la muerte alcanzan una forma particular de vida.

La muerte de Joyce es para Lezama el lugar para la reflexión sobre la lectura auténtica, no precisamente porque la muerte del autor sea condición necesaria para la lectura apropiada de y a su obra; aunque sin duda también por eso. Pero hay algo más, en lo que estriba la complejidad del planteamiento mismo de Lezama. Como forma de entrar en ese planteamiento, y de percibir también toda su ambigüedad e indeterminación, voy a citar la conclusión del ensayo. En ella se llega a una definición inestable que intentaré en cierta medida aclarar en comentario:

> Si [Joyce] había afirmado que a su obra le había dedicado su vida, y que por lo tanto reclamaba que el lector le entregara su vida también, deseémosle ese tercer lector capaz de jugarse su vida en una lectura, no afanoso de suceder sus preferencias, sino que tenga para una sola lectura la presencia y la esencia de todos sus días. ¿Merece Joyce ese lector? Ahora que ya tiene suficiente silencio, es cuando irá surgiendo la respuesta, o ganándose definitivamente ese tercer lector. El solo y misterioso lector resuelto como un escriba egipcio. (238)

En la expresión «tercer lector» está dada, naturalmente, la referencia a otros dos tipos de lector que Lezama presenta en su ensayo, y de los que me ocuparé después. El lector número tres es descrito como todavía ausente y deseable. Su característica es ser «capaz de jugarse la vida en una lectura», de una forma semejante y paralela a como Joyce se jugó su vida en su escritura. En la cita de Lezama hay dos determinaciones positivas y una negativa de esa característica. La negativa es: el tercer lector no es un lector «afanoso de suceder sus preferencias». Las positivas son: primero, el tercer lector debe tener «para una sola lectura la presencia y la esencia de todos sus días»; segundo, el tercer lector es un lector «resuelto como un escriba egipcio».

La determinación negativa y la primera positiva pueden entenderse como complementarias de una manera inmediata: el afán curioso por buscar preferencias implica una actitud de lectura en la que no puede llegar a darse una inversión del sujeto, y en la que por ello no hay tampoco

de la escritura. El que mantiene abierta su opción de preferencia, ir, según la etimología, «pone delante de sí» su objeto. Pero entonces, se pone delante de su objeto, en la medida en que traer uponen en este contexto una posición de dominio para la que el nciona como lo manejado y sometido. El sujeto que prefiere ante propia opción de preferir. Preferir es siempre preferirse, en el le adelantarse y ponerse por delante. El sujeto que prefiere se no se arriesga como sujeto, no consuma su propio gasto, no se n su preferencia. No importa el afán: por preferir/se no apuesta ga en la lectura «la presencia y la esencia de todos sus días». acerlo supone abandonar toda preferencia posible y entrar en un de legisla la necesidad— o el azar.

ar la vida en la lectura, entendido como tener para la lectura la de la totalidad de los días propios: no se trata, por supuesto, de vida leyendo atentamente un solo texto, sino al revés, de tomar como un pasaje por el que la esencia entera de la vida, a en el sujeto lector en el momento de su lectura, debe pasar. é fin? Y además: ¿por qué dice Lezama que en ese pasaje la vida que hay en él un riesgo de muerte o quizás incluso una muerte izás sólo el que se adentra en el pasaje puede responder a esto. nto, para hacerlo se necesita, según Lezama, la resolución de un cio.

er lector es «resuelto como un escriba egipcio». Lezama da ve para la interpretación de esta frase en su escrito «Los 1961). Sólo quiero entresacar de él lo que puede servir para una n posible de «Muerte de Joyce». En «Los egipcios», comentando imno a Ra del *Libro de los muertos,* dice Lezama que en él «se siris a que tome en consideración a Ani, "el escriba de las gradas de los dioses". En el mismo himno se consigna que Ani e Osiris. Eso viene a complicar extraordinariamente algunos 871). La complicación radica en lo siguiente: en la explicación el reino de los muertos dobla para los egipcios el reino de los is es un dios de la vida que pasa al reino subterráneo y al ala «a la vida en el seno mismo de la muerte»: «Llevó a las terráneas su riqueza vegetativa, su síntesis de cielo y tierra, su etorna con las estaciones, en el desfile de las semillas y los oche y la muerte» (865). El Ka es el doble personal, y designa del... sujeto, en la morada de Osiris, la de los muertos, con en la eternidad de la vida» (866). Que Ani pueda presentarse de Osiris introduce una nueva duplicación: Osiris, la vida en ncuentra en su doble, no precisamente la muerte en la vida, cio de un tercer reino, reino del retorno permanente de vida y de muerte en vida, más allá de la mera oposición o o entre ambos: duplicación siempre renovada y constante.

Ahora bien, ¿qué significa en este contexto que Ani, el Ka de Osiris, deba ser escriba de las ofrendas de los dioses? ¿Qué significa aquí escritura?

El himno solicita de Osiris consideración para Ani. Ani es el escriba que desea que «"su nombre se proclame y se encuentre en la mesa de las ofrendas", mesa bien parecida al libro de la vida, donde nosotros escribimos un nombre y el egipcio polarizó el rayo para hacerlo intercambiable a los juegos entre la vida y la muerte» (872). La inscripción del nombre es la escritura, y en la escritura logra Ani constituirse en doble de Osiris, también él vivo entre los muertos. La escritura como inscripción del propio nombre en la mesa intemporal logra de Osiris, dios del retorno, el reconocimiento de una presencia siempre recurrente del escriba, propietario del nombre que se inscribe.

Pero el nombre, por ser escrito, es precisamente la inscripción de una desapropiación. El escriba desapropia su nombre solicitando consideración para su nombre: establece un abismo permanente entre sí mismo y su propiedad, el abismo trazado por el deseo de apropiación radical, porque si hay deseo de apropiación hay necesariamente una previa desapropiación en la que ese deseo puede constituirse. Ani es el Ka de Osiris porque la misma estrategia que le lleva a ser vivo entre los muertos en virtud de la inscripción de su nombre lo hace ser, para siempre, también muerto entre los vivos. En la aceptación de esta doblez está la resolución del escriba egipcio. El escriba se resuelve a aceptar la tensión de vida y muerte, de des/apropiación, señalada también por Geoffrey Hartman en referencia a la escritura poética:

> Lo más que el arte puede hacer, como espejo del lenguaje, es quemar en sí, a su manera fría, el deseo por la autodefinición, la plenitud de gracia, la presencia; simplemente exponer el deseo de poseer el propio nombre, de habitarlo numinosamente en la forma de nombre «propio», palabras, o el acto signatorio que cada poema aspira a ser. (*Saving* 110)

El deseo de poseer el propio nombre y la trivialidad de tal deseo: eso lo expresa, por Ani, el primer himno a Ra del *Libro de los muertos*.

Lezama requiere que el tercer lector, el lector apropiado a Joyce, sea resuelto como un escriba. La resolución del escriba puede describirse, en parte, como la decisión de aceptar la tensión de vida y muerte que impone la escritura —el retorno de la muerte en la vida y de la vida en la muerte que abraza el escriba en la inscripción originaria de su nombre, en su inversión en nombre. Jugarse la vida en la lectura es apostar por un pasaje hacia algún más allá de la vida, arriesgar una muerte que una vez conjurada, si llega a conjurarse, tendrá la virtud de hacer la vida más fuerte, doblada, por así decirlo, por haberle hecho lugar, por haberse hecho región de la muerte.

cer lector debe jugarse la vida en la lectura como Joyce se jugó la escritura. La referencia al escriba en este contexto no es mera sia lezamiana. En el último capítulo de *Portrait of the Artist as Man* Stephen Dedalus, preparándose para su vida como artista, experiencia de pasaje cuya descripción incluye estas palabras:

> And for ages men had gazed upward as he was gazing at birds in ght. The colonnade above him made him think vaguely of an ancient mple and the ashplant on which he leaned wearily of the curved stick an augur. A sense of fear of the unknown moved in the heart of his ariness, a fear of symbols and portents, of the hawklike man whose me he bore soaring out of his captivity on osierwoven wings, of oth, the god of writers, writing with a reed upon a tablet and bearing his narrow ibis head the cusped moon. (225)

> (Y por edades los hombres habían mirado hacia arriba como él raba a los pájaros en vuelo. La columnata encima le hizo pensar amente en un templo antiguo, y el bastón de fresno en el que se yaba con cansancio en la vara curvada de un augur. Una sensación de nor de lo desconocido se movió en el corazón de su fatiga, un temor símbolos y de portentos, del hombre halcónida cuyo nombre él aba surgiendo de su cautiverio en alas tejidas de mimbre, de Thoth, dios de los escritores, escribiendo con caña sobre una tableta y ando en su delgada cabeza de ibis los cuernos de la luna.)

ro de muerte está radicalmente anunciado en la comparación de n Ícaro, hijo de Dédalo, que ascendió al laberinto solar y él. Pero conviene entrar con mayor detalle en este pasaje de ue guarda revelaciones del pasaje mismo de la escritura, de la mo pasaje de vida/muerte, incluso del pasaje como retorno, miento incorporativo de las dos márgenes de su abismo.

considera hacerse escritor. Para ello le resulta imperativo u morada familiar, dar un paso o un salto fuera de lo acostum- ábito. Hacerse escritor es para Stephen entrar en una situa- ral, que requiere una total inversión de su ser. Stephen con- asaje a ese momento inaugural; contempla la necesidad y la n instante de decisión en el que el pasaje quedará consumado. de decisión inaugural es un instante de visión, contemplación, *Contemplari* es la visión del templo, y el *templum* es precisa- ar visible desde todo punto y sobre todo el lugar desde el que es visible: lugar de encuentro entre el ver y el ser visto y por ar de pasaje mutuo entre ambas perspectivas. Este privilegio mplo como región de toda inauguración y de todo agüero.

El *templum* latino significa originalmente un sector labrado en los cielos y en la tierra, el punto cardinal, la región de los cielos marcada por el camino del sol. Es dentro de esata región que los adivinos hacen sus observaciones para determinar el futuro por el vuelo, los gritos, los hábitos alimenticios de los pájaros. (Heidegger, «Wissenschaft» 46)

Stephen piensa en el futuro desde un templo, como augur, observando a los pájaros. Stephen siente temor.

El futuro sólo se anticipa como peligro. De ahí la angustia, que no tiene objeto, o cuyo objeto es más bien la nada en la que cualquier proceso se dará, desde la que cualquier todo se da. Pero Stephen, ya en la perspectiva del agüero, interroga concretamente sobre su inversión en escritor, en el umbral de la inauguración de la escritura, sobre ella. Su primera angustia por lo desconocido total da paso al temor fijado en tres momentos: de símbolos y portentos, de Dédalo, de Thoth como presencia de un dios en la escritura. A mi juicio Roberto González Echevarría interpreta insuficientemente esta serie en un sentido transicional o progresivo, «desde los símbolos al dios de la escritura» (*Isla* 209). No hay aquí progresión sino simultaneidad, en el rigor pleno del doble sentido etimológico de esta palabra, que habla de competencia tanto como de hermanamiento. La progresión queda ya aniquilada en el hecho de que los portentos son siempre presagios, prodigios, que vienen del futuro. A Stephen no le amenaza su pasado más que porque está inscrito en su futuro, y precisamente por eso; no quiere librarse «de los significados tradicionales, de la doctrina, de la liturgia» (*Isla* 209), sino entrar en una inauguración radical que desplace todos los sentidos existentes y los funde sobre el fondo sin fondo, fondo blanco, de la escritura. Por eso todos los símbolos serán portentos, prodigios; y por eso su carencia de fundamentación, en el momento inaugural, da temor.

Pero González Echevarría acierta, de nuevo en mi opinión, al proponer una relación entre los símbolos y el mundo del padre de Stephen. *Symbolon* es en griego una de las mitades o partes de un objeto roto, que dos personas acuerdan guardar para poder probar su identidad y al mismo tiempo para tener prueba de la identidad de la otra; es decir, son prendas de identidad que sólo funcionan con su contrapartida. Pero ese significado, que el *Lexicon* de Liddell-Scott cita en primer lugar, está siempre originalmente desplazado, en virtud de las relaciones de poder que en cada caso vinculan a las dos partes contratantes: siempre hay, entre dos, uno a cuyo cargo está probar, encontrar, su identidad, por referencia a la ajena; uno que la da y otro que la pide. Por eso *symbolon* es también el sello impreso, inscrito en la cera blanda, la traza de una identidad conferida: pasaporte, credenciales, garantía que da derecho al garantizado para obtener ciertos beneficios del garantizante, incluso el nombramiento dado por la autoridad, gracias al cual uno asume a su vez autoridad representativa. La propiedad simbólica pertenece al padre o a la autoridad. La identidad que

...o confiere es una identidad representada, y está fundamentalmente
...da sobre una deuda respecto del propietario del sello inscriptor.
...on significa ya un contrato de reconocimiento de un préstamo,
...de deuda. Pero la identidad constituida sobre una deuda, como
...ad retenida por una prenda, es una identidad enajenada.

...ación paterna es también sobresaliente en el segundo momento
...el temor de Dédalo. Dedalus no es el nombre de Stephen más
...e es el nombre de su padre. Stephen lleva el nombre paterno,
...a cera blanda. Cuando Dédalo escapa de Creta, donde Minos lo
...finado en su laberinto, lleva consigo a su hijo Icaro. La historia
...la: Dédalo confeccionó unas alas con plumas tramadas, pero usó
...ligar las plumas pequeñas. Antes de emprender el vuelo le dijo
...egún Ovidio: «Te advierto, hijo mío, debes seguir un curso a
...ino del cielo y de la tierra, para que el sol no abrase tus plumas,
...demasiado alto, y para que el agua no las haga pesadas si vas
...mame como tu guía y sígueme» (*Metamorfosis* 8.204-08). Pero
...antado por su capacidad de vuelo, desobedeció a su padre
...acia el disco solar, que derritió su cera, su nombre. Icaro cayó
...ahogó.

...nplando los pájaros Stephen tiene el temor de Dédalo. Pero
...me a Dédalo. El temor de Dédalo es más bien característico de
...adoptivo y pupilo de Dédalo, cuya presencia bajo forma de
...za un papel importante en el mito dedálida: cuando Dédalo
...caro, Talos-pájaro grita con alegría mientras lo mira, porque se
...ado su venganza. Dédalo, celoso porque la reputación de
...Talos amenazaba la suya, y además furioso por su sospecha de
...y su madre Policasta mantenían relaciones incestuosas, había
...Talos de la siguiente manera: lo hizo subir al tejado del
...en la Acrópolis, lo hizo mirar desde allí hacia el horizonte, a
...s, y lo empujó al abismo (Graves 1: 92.b).

...contempla y tiene miedo. *Contemplatio* es la traducción latina
...*Contemplatio*, como visión de(sde) el templo, es aquello a lo
...forzó a su hijo antes de matarlo. la visión de Talos antes de
...es una visión teórica, en el borde del abismo. *Theorein*, «con-
...*thean horan*, «mirar atentamente al aspecto donde lo que se
...hace visible y, por tal mirada, permanecer en ello» (Heidegger,
...aft» 44). *Thea* es aspecto, y está relacionada con la palabra
...o es anecdótico que debajo del Partenón, en la Acrópolis, esté
...niense de Dionisos, donde la tragedia representaba cíclicamente
...mundo. Pero Heidegger ha llamado la atención al hecho de
...ria está también *theá*, la diosa, y «es como una diosa que
...erdad", el desocultamiento desde el cual y en el cual lo que se
...tra en la presencia, aparece al temprano pensador Parménides»
...aft» 45). Dédalo, padre y maestro, se complace en matar a su

hijo tras su última visión de la diosa. Talos mantenía relaciones incestuosas con su madre Policasta. La diosa de la visión teórica es Palas Atenea. De Atenea es el templo Partenón. Cuenta Ovidio que Palas, «que mira con favor a los hombres inteligentes, cogió al chico mientras caía y lo cambió en un pájaro, vistiéndolo con plumas en el aire» (8.250-55).

Dédalo-pájaro, Icaro-pájaro, Talos-pájaro: Stephen modelará su conducta sobre la conducta de los pájaros.

> What birds were they? He thought that they must be swallows who had come back from the south. Then he was to go away for they were birds ever going and coming, building ever an unlasting home under the eaves of men's houses and ever leaving the homes they had built to wander. (225)

> (¿Qué pájaros eran? Pensó que serían golondrinas que habían regresado del sur. Entonces debería irse pues eran pájaros siempre yendo y viniendo, construyendo siempre una casa precaria bajo los aleros de las casas de los hombres y siempre dejando las casas que habían construido para errar.)

Son pájaros que construyen como Dédalo, que yerran como Dédalo de morada en morada, Dédalo constructor de moradas, entre laberintos. En realidad Stephen no se identifica con Icaro o con Talos, no se identifica con nadie, pero tiene temor de Dédalo ¿sólo como padre?, ¿sólo en cuanto hijo de Dédalo, nombrado por él? ¿Pero quién le da nombre al padre? El padre es siempre el afligido por la muerte de su hijo, por la pérdida de su nombre, y el que tiene que vivir con ella. Las cosas a la vez se complican y se explican cuando leemos en Graves que Dédalo, Talos e Icaro son quizá nombres diferentes del mismo carácter mítico (serie en la que incluye también a Hefesto) (1: 92.1). Todos vuelan, todos inventan, todos toman riesgos de muerte. Es conveniente acercarse a examinar qué carácter mítico puede ser el común al objeto del segundo temor de Stephen.

Quizá una clave esté dada en ese adjetivo que Stephen asigna a Dédalo, «halcónida», *hawklike*. El halcón era, no en Grecia, sino en Egipto, el animal solar, el animal de Amón-Ra. En el momento de la coronación del Faraón un halcón descendía sobre él, como símbolo del poder divino del que se le investía. Este símbolo, mitad del todo de la identidad, constituía el doble del Faraón, su Ka. En Grecia es el águila, emblema de Zeus, la que asume la función de garantía del poder real, doble solar del rey. Dice Graves:

> El mito de Dédalo y Talos, como su variante, el mito de Dédalo e Icaro, parece combinar el ritual de quemar al vicario del rey solar, que se había puesto alas de águila, en la hoguera de primavera... con los rituales de arrojar al *pharmakos* de alas de perdiz, un vicario similar, desde un acantilado al mar, y de perforar el talón del rey con una flecha

nvenenada [una variante del mito de Talos afirma que lo mató Poeas
on una flecha envenenada]. (1: 92.3)

mún a estos tres rituales es la empresa de purificación de la
d mediante el sacrificio de un poder amenazante. *Pharmakos*
brujo», «mago», «envenenador». Es pues alguien cuya función es
mbigua y doble, porque cura o mata, benigna o maligna, como
La decisión de librarse de él, decisión cíclica y expiatoria, es una
ocial mediante la que la comunidad, en el acto de expulsión de
a hacia un afuera abismal, recrea su identidad en la reconstitución
ntro delimitado. Para Derrida

ceremonia del *pharmakos* se juega entonces en el límite del adentro y
l afuera que tiene por función trazar y retrazar sin cesar. *Intra mu-
s/extra muros*. Origen de la diferencia y de la partición, el *pharmakos*
resenta el mal introyectado y proyectado. Bienhechor en tanto que
ra —y por ello venerado, rodeado de cuidados— malhechor en tanto
e encarna el poder del mal —y por ello temido, rodeado de precauciones.
gustiante y apaciguante. Sagrado y maldito. La conjunción, la *coinci-
tia oppositorum* se deshace sin cesar por el pasaje, la decisión, la crisis.
expulsión del mal y de la locura restaura la *sophrosyne*. («Pharma-
» 153)

n teme a Dédalo, teme al *pharmakos*, justo cuando su decisión
plantea radicalmente, para destruirla, la oposición entre el
el afuera, la casa y lo siniestro. Stephen considera que tiene que
siempre «the house of prayer and prudence [*sophrosyne*] into
ad been born and the order of life out of which he had come»
asa de oración y prudencia en la que había nacido y el orden de
e había salido»), pero no al precio o en el modo de un mero
sino, precisamente, como un pájaro cuyo vuelo retorna eterna-
dalo, Icaro y Talos son vicarios del rey solar, seres aquilinos
lo les costará la vida. Pero los tres son miembros de la familia
ase, erecteiónidas, cuyo emblema totémico es la serpiente. El
serpiente son los animales del Eterno Retorno, pero no sólo
che (*Zarathustra* 267-73; 3.13.2).
la decisión de escribir, comprobado el augurio, contemplada
ephen describe su alegría en términos que mantienen abierto el
cielo y tierra, el pasaje que el templo simboliza y consuma, el
escribe el vuelo del pájaro que sigue el curso del sol:

soft liquid joy like the noise of many waters flowed over his
ory and he felt in his heart the soft peace of silent spaces of fading
ous sky above the waters, of oceanic silence, of swallows flying
ugh the seadusk over the flowing waters. (225)

(Una suave alegría líquida como el ruido de muchas aguas fluyó sobre su memoria y él sintió en su corazón la paz suave de silenciosos espacios de cielo tenue y desvaneciente sobre las aguas, de silencio oceánico, de golondrinas volando por el crepúsculo marino sobre las aguas fluyentes.)

Una alegría líquida, que no incluye y que no excluye el temor del ahogo, que es simultánea con él. Un vuelo que no incluye y que no excluye su final, en el abrasamiento crepuscular o en alguna otra región. El pasaje es entre agua y sol, hacia poniente, como en *Ulysses*: «Across the sands of all the world, followed by the sun's flaming sword, to the west, trekking to evening lands» (40; 3.391-92) («Por las arenas de todo el mundo, seguido por la espada flameante solar, hacia el oeste, marchando a tierras de poniente»). También en *Ulysses* con el bastón de augur, pensando en el pasaje vida/muerte, sol/sombra, día/noche, vida/escritura:

Turning his back to the sun he bent over far to a table of rock and scribbled words...
His shadow lay over the rocks as he bent, ending. Why not endless till the farthest star? Darkly they are there behind this light, darkness shining in the brightness, delta of Cassiopeia, worlds. Me sits there with his augur's rod of ash, in borrowed sandals, by day beside a livid sea, unbeheld, in violet night walking beneath a reign of uncouth stars. I throw this ended shadow from me, manshape ineluctable, call it back... Who ever anywhere will read these written words? Signs on a white field. (40; 3.406-15)

Seadeath, mildest of all deaths known to man. (42; 3.482-83)

Where? To evening lands. Evening will find itself. (42; 3.488)

(Volviendo su espada al sol se dobló sobre una mesa de roca y garabateó palabras...
Su sombra yacía sobre las rocas mientras se inclinaba, acabando. ¿Por qué no inacabable hasta la estrella más lejana? Oscuramente están allí bajo esta luz, oscuridad que luce en el brillo, delta de Casiopea, mundos. Sentado yo allí con su vara augural de fresno, en sandalias prestadas, de día al lado de un mar lívido, desapercibido, en la noche violeta caminando bajo un reino de estrellas burdas. Arrojo de mí esta sombra acabada, ineluctable forma de hombre, la reclamo... ¿Quién nunca en alguna parte leerá estas palabras escritas? Signos en campo blanco.)

(Muerte marina, la más suave de todas las muertes conocidas del hombre.)

(¿Dónde? A tierras de poniente. La tarde se encontrará a sí misma.)

Una última adición al mito de Dédalo facilitará el pasaje de lo anterior al tercer momento del temor de Stephen, temor de Thoth. Stephen debe abrigarse del sol para escribir. El Segundo Mitógrafo Vaticano atribuye a

la muerte de Sciron. Dédalo lanzó a Sciron al mar desde un acan-
... también el temor de Stephen en *Ulysses*: «Jesus! If I fell over a cliff
... tles o'er his base» (31; 3.14) («¡Cristo! Si yo cayera por un
... lo que vacila sobre su base»). Hay aquí una nueva asociación de
... con la figura del *pharmakos*, pero esta vez se añade un nuevo ras-
... so: Sciron significa «parasol»[2]. En cierta terracota Sciron es repre-
... cayendo por el aire, hacia el mar, parasol en mano. El parasol, co-
... las de pájaro, debía aminorar el vuelo, hacer la expiación más li-
... no solamente eso: el parasol es también el símbolo de la casa de
... y su sacerdote, jefe del culto ateniense de la serpiente, llevaba un
... lanco en la procesión del festival de Scirophoria, en el último mes
... mes del retorno. El retorno, como el largo viaje del *pharmakos*,
... bién en símbolo en el barco que en algunas representaciones
... caída del *pharmakos* para rescatarlo. Aunque en otras represen-
... puede ser el parasol mismo el que se transforma en tortuga
... ave salvadora o quizá monstruo devorador, para Graves eso no
... idirse. El capítulo tercero de *Ulysses* concluye: «Moving through
... h spars of a threemaster, her sails brailed up on the crosstrees,
... pstream, silently moving, a silent ship» (42; 3.503-05) («Movién-
... l aire altos mástiles de un navío de tres palos, sus velas càrgadas
... cetas, hacia casa, contracorriente, moviéndose en silencio, un
... cioso»). (Para las referencias mitológicas en este párrafo, Graves
... 3; 96.4; 98.7).

... no mes del año era en Grecia Scirophorion, mes del solsticio de
... es del mediodía, mes de la sombra más corta. El sacerdote
... a debía protegerse del sol —ya hemos visto que en ciertos ritos
... del rey solar era quemado como *pharmakos* en la hoguera de
... llevando alas de águila. El águila y la serpiente, la sombra más

---

... del parasol, o sombrilla, es recurrente en *Finnegans Wake*. Ver por ejemplo
... 32, 256 y 275 para una enumeración no del todo exhaustiva. Hay muchos
... s de *Finnegans Wake* que inciden directamente en la problemática de mi
... emplo, la caída de Finnegan, la desgracia de Earwicker, el disparo al general
... ellos versiones joyceanas del *pharmakos*. Derrida dice también de «La
... Platon»: «El conjunto de este ensayo no es otra cosa... que una lectura de
... ke» («Pharmacie» 99, n. 17). Pero la naturaleza de la última obra de Joyce
... ivamente su utilización para mis propósitos aquí. La abundancia de los
... nos que comento en *Finnegans Wake* sirve sin duda para reforzar filológi-
... evancia que les doy en las otras novelas de Joyce. Sobre esto cabe también
... el epígrafe de *Portrait*, «Et ignotas animum dimittit in artes», pertenece al
... las *Metamorfosis*, el 8, verso 188, en el que se cuenta la historia de Dédalo
... hijos. La idea de Joyce sobre la escritura está esencialmente relacionada con
... dedálida, y *Finnegans Wake* la pone radicalmente de nuevo en juego a
... iples metamorfosis. Hablando de lectura, quiero decir que espero que la
... ezamiana, tal como la expongo, muestre su relevancia rotunda precisamente
... «auténtica» de *Finnegans Wake*.

corta, el sol que abrasa y el parasol como protección son todos ellos símbolos evocados por Stephen en el instante de su pasaje inaugural a la escritura, su inversión en la escritura, que es abandono de la presencia acostumbrada en la casa paterna, búsqueda del propio nombre. En la escritura, en la sombra, en la noche, Stephen reflexiona en el nombre:

> What's in a name? That is what we ask ourselves in childhood when we write the name that we are told is ours. A star, a daystar, a firedrake, rose at his birth. It shone by day in the heavens alone, brighter than Venus in the night, and by night it shone over delta in Cassiopeia, the recumbent constellation which is the signature of his initial among the stars. (*Ulysses* 172; 9.927-31)

> (¿Qué hay en un nombre? Eso es lo que nos preguntamos en la infancia cuando escribimos el nombre que se nos dice es el nuestro. Una estrella, un lucero, una luciérnaga, se levantó en su nacimiento. Lució de día en los cielos sola, más brillante que Venus en la noche, y de noche brilló sobre delta en Casiopea, la constelación yacente que es la firma de su inicial entre las estrellas.)

En el capítulo noveno de *Ulysses* Stephen revive la frustración de su retorno de París, tras la decisión de abandonar Irlanda tomada en el pasaje de *Portrait* que vengo comentando. La causa del retorno está en el telegrama de su padre, una llamada con errata («Nother dying come home father» [35; 3.199]) [«Nother» = «Mother» (madre), pero también «not her» (no ella), y también «no other» (no otra). «(M)adre muriendo ven a casa padre»]). El retorno se piensa como reflexión del nombre: «Fabulous artificer. The hawklike man. You flew. Whereto? Newhaven-Dieppe, steerage passenger. Paris and back. Lapwing. Icarus. *Pater, ait.* Seabedabbled, fallen, weltering. Lapwing you are. Lapwing be» (173; 9.952-54) («Fabuloso artífice. El hombre halcónida. Volaste. ¿Adónde? Newhaven-Dieppe, pasajero de tercera. París y vuelta. Avefría. Icaro. *Pater, ait.* Empapado, caído, encenagado. Avefría eres. Avefría sea»). Frustrado, Stephen insiste en la autoidentificación con el hermano temeroso de Icaro, con Talos. Talos fue el que rió desde una zanja lodosa en el momento en que Dédalo enterraba a Icaro. Ovidio lo describe: «garrula limoso prospexit ab elice perdix» (*Metamorfosis* 8.236).

Es frecuente encontrar en traducciones inglesas *lapwing*, «avefría», en lugar de «perdiz», *perdix* (Cf. por ejemplo Innes 186; sin embargo en el índice, p. 6, la traducción es correcta). El origen de la confusión está quizá en el hecho de que las perdices no suelen estar en zanjas lodosas. Pero perdiz, y no avefría, es la traducción que más se acomoda a *perdix*, no sólo por el hecho de su obvia derivación romance, sino también por otras razones. En primer lugar por la descripción posterior de Ovidio, de la que Joyce por cierto tomo buena nota: «este pájaro no vuela alto en el aire ni

nidos en las copas de los árboles; revolotea en el suelo, y pone
os en setos y tiene miedo de las alturas, pues recuerda su caída de
npo» (8.256-59). Joyce no repara, como tampoco algunos traductores
o, en que las avefrías vuelan alto, como aves migratorias que son.
ices, no. Hay además otra razón, más hipotética, y es que me pa-
el verso de Ovidio sobre Talos y su metamorfosis, «nomen, quod
remansit» (8.255), hace alusión a la curiosa condición huérfana de
l mito la refleja anticipadamente haciendo a Dédalo su padre
. Adoptivo o no, su padre mata a Talos, en una inversión del
pico. La razón es celos: porque Talos amenaza con usurpar el
artífice de Dédalo, porque Talos mantiene relaciones incestuosas
adre Policasta, cuyo nombre alternativo es Perdix (Graves 1: 92
a metamorfosis salvadora del alma de Talos, operada por Atenea,
e de Talos permanece como nombre materno: Perdix.

pharmakos lanzado por Dédalo al abismo marino y transformado
, no llevaba consigo parasol en su caída, aunque le hubiera co-
do tal derecho como artífice y sacerdote de la serpiente de la ca-
ecteo. El nombre de Talos es el de su madre. La razón del
Stephen es también la razón callada de la llamada de la madre,
cida en el telegrama errado de su padre: «Nother dying come
er». Así Stephen no nombra directamente a Talos en su pensa-
autoidentificación pronto cede y Stephen vuelve a su icarismo:
r is as easily forgotten as an umbrella. Lapwing. Where is your
Apothecaries hall» (173; 9.974-77) («Un hermano se olvida tan
como un paraguas. Avefría. ¿Dónde está tu hermano? Galería
os»). Talos olvidado permanece en la botica, en la farmacia, en-
aka. Con su vara y la serpiente ceñida, caduceo. Talos será el
tephen, reprimido/conocido, negado y afirmado, Stephen phar-
s stephanoumenos («víctima sacrificial», «buey coronado») (Ulysses
173

r temor de Stephen es el temor de Thoth, «the god of writers,
h a reed upon a tablet and bearing on his narrow ibis head the
on» (225) («el dios de los escritores, escribiendo con caña sobre
y llevando en su delgada cabeza de ibis los cuernos de la
bastón de fresno como palo de augur, al parasol (umbrella es
), incluso a la nave silenciosa con su rostrum y sus mástiles, se
ra nuevos símbolos del stylos de la escritura: la caña de Thoth,
pico de ibis, incluso los cuernos alzados de la luna. Y que el
mor de muerte lo confirma Ulysses:

Coffined thoughts around me, in mummycases, embalmed in spice of
ds. Thoth, god of libraries, a bird, moonycrowned. And I heard the
e of that Egyptian highpriest. In painted chambers loaded with
ooks. They are still. Once quick in the brains of men. Still: but an
of death is in them. (159; 9.352-57)

(Pensamientos en ataúd a mi alrededor, en cofres de momias, embalsamados en especie de palabras. Thoth, dios de bibliotecas, un pájaro, coronado de luna. Y oí la voz de ese sumo sacerdote egipcio. *En cámaras pintadas cargadas de libros de adobe.* Están quietos. Una vez vivos en los cerebros de los hombres. Quietos: pero un picor de muerte está en ellos.)

Escritura y muerte. Thoth, dios de la escritura, también es el dios de la muerte. Y como dador de muerte puede pararla, desplazar su poder: también es el dios de la medicina, y a su cargo está la farmacopea. *Pharmakon* es «droga», benéfica o maléfica, medicamento o veneno. Es conocido el mito de Thoth y Thamus, que Platón narra en el *Fedro* y en el que Derrida invierte su ensayo «La pharmacie de Platon». Según el mito, Thoth presenta a Thamus la escritura como *pharmakon* del conocimiento. Thamus, vicario del dios solar, Ammón, si no Ammón mismo, rechaza el don por su doblez: lejos de remediar el conocimiento, la escritura lo suplanta, favoreciendo sólo la rememoración (*Phaedrus* 274 c ss.).

Supuesto que la auténtica memoria sea memoria de la verdad, la rememoración dada en la escritura no puede sino simular esa memoria: «Oposición sutil entre un saber como memoria y un saber como rememoración, entre dos formas y dos momentos de la repetición. Una repetición de verdad *(aletheia)* que da a ver y presenta el *eidos* [la Idea]; y una repetición de muerte y de olvido *(lethe)* que vela y desvía porque no presenta en el *eidos,* sino re-presenta la repetición, repite la repetición» («Pharmacie» 255). Una repetición que ataja la muerte y otra que la reproduce y extiende, una medicina y un veneno: «They list. And in the porches of their ears I pour» «Atienden. Y en los porches de sus oídos vierto»), piensa Stephen, veneno. «The soul has been before stricken mortally, a poison poured in the porch of a sleeping ear» (*Ulysses* 161; 9.465-67) («El alma ya antes ha sido golpeada mortalmente, un veneno vertido en el porche de un oído durmiente»). Y así muere el rey Hamlet, abriendo el paso del prodigio.

La escritura tiene a su cargo un necesario parricidio, porque mata su origen en cuanto se presenta, negando su dependencia original con respecto del inscriptor, padre de la escritura, o más bien afirmando haber suplantado el origen, haber suprimido en sí misma la necesidad de un origen. La escritura suplanta a la palabra hablada, pero no meramente oponiéndose a ella; al contrario, dándose como su perfecta mímesis, imitación perfecta, ya no imitación del modelo, sino modelo suplantado. Y así también actúa su dios. Tras el registro de los atributos de Thoth en la religión egipcia Derrida comenta:

Suplente capaz de doblar al rey, al padre, al sol, a la palabra, no distinguiéndose de ellos más que como su representante, su máscara y su

repetición, Thot podía también naturalmente suplantarlos totalmente y
propiarse de todos sus atributos. Se añade como atributo esencial de
quello a lo que se añade, de lo que no se distingue en casi nada. No es
iferente de la palabra o de la luz divina más que como lo revelante de
o revelado. Apenas. («Pharmacie» 102)

nos recordar lo que Lezama descubría sobre el doble de Osiris, la
a muerte, Ani el escriba, Thoth. El escriba introduce un tercer
reino de la repetición, del retorno de vida y muerte, muerte y
th, dios de la escritura, dios parricida y suplantador del sol, es
n dios de la resurrección que «se interesa menos en la vida o en
que en la muerte como repetición de la vida y en la vida como
de la muerte, en el despertar de la vida y en el recomenzar de
» («Pharmacie» 105). Thoth, dios del pasaje, es un dios siniestro.
es temores de Stephen son temores de pasaje a la escritura, de
en el *pharmakon*. Stephen teme la simbolización paterna, teme
e en *pharmakos* por su inversión en el *pharmakon*. Teme que la
agarre su palo o mate al águila, y lo teme en el momento de la
naugural. La decisión inaugural es el momento crucial de pasaje
lentro y el afuera, la caída teórica sobre el abismo, el paso entre
tades del símbolo, pasaje a la escritura que en *Ulysses* se nombra
ntenso de imaginación»:

As we, or mother Dana, weave and unweave our bodies, Stephen
d, from day to day, their molecules shuttled to and fro, so does the
st weave and unweave his image. And as the mole on my right breast
where it was when I was born, though all my body has been woven of
stuff time after time, so through the ghost of the unquiet father the
ge of the unliving son looks forth. In the intense instant of
gination, when the mind, Shelley says, is a fading coal, that which I
is that which I am and that which in possibility I may come to be.
n the future, the sister of the past, I may see myself as I sit here
but by reflection from that which then I shall be. (159-60; 9.376-85)

Igual que nosotros, o madre Dana, tejemos y destejemos nuestros
pos, dijo Stephen, de día en día, sus moléculas lanzadas de acá para
así el artista teje y desteje su imagen. Y así como el lunar en mi
o está donde estaba cuando nací, aunque todo mi cuerpo ha sido
o de nuevo material vez tras vez, así a través del fantasma del padre
ieto la imagen del hijo nonato aparece. En el instante intenso de
inación, cuando la mente, dice Shelley, es un carbón que se apaga,
ue fuí es lo que soy y lo que en posibilidad puedo llegar a ser. Así
futuro, la hermana del pasado, puedo verme a mí mismo tal como
ahora aquí sentado pero por reflexión de aquello que entonces

117

«Through the ghost of the unquiet father the image of the unliving son looks forth» («A través del fantasma del padre inquieto la imagen del hijo nonato aparece»): el momento del pasaje a la escritura es el momento en que el padre —Derrida recuerda que *pater* es en griego también fundador, capital y bien (91) —queda desplazado por la inversión del capital, por el nuevo acto de fundación, por la nueva ocultación del bien que toda búsqueda supone. Sin previo, pero necesariamente fantasmal, origen, capital y bien, sin previa paternidad que sólo se constituye como tal en el momento de alumbramiento, no habría inversión posible, no habría dislocación de la paternidad, destrucción de los bordes especulares del símbolo.

«As we, or mother Dana, weave and unweave our bodies..., so does the artist weave and unweave his image» («Igual que nosotros, o madre Dana, tejemos y destejemos nuestros cuerpos..., así el artista teje y desteje su imagen»). La comparación recuerda la que establece Hegel en su *Filosofía del derecho*: «Lo que la filosofía trae ante sí es un trabajo tan agotador como el tejido de Penélope, que debe ser recomenzado cada día» (*Grundlinien* 12). Textos y tejidos, agujas y lápices. Pero en la cita de Joyce hay una vacilación que no puede resolverse como anacoluto o mala figura del estilo: «As we, or mother Dana, weave...» Entonces ¿quién teje y desteje la imagen del artista, si no es él mismo? ¿Quién puede ser «mother Dana» en la escritura? Diferiré de nuevo la contestación de la pregunta, como ya hice a propósito de la autenticidad en la lectura.

«The intense instant of imagination, when the mind... is a fading coal» («El instante intenso de imaginación, cuando la mente... es un carbón que se apaga») que se quema y se destruye y crea por su liberación de materia otra; momento de total autoposesión del sujeto, en la unificación de sus éxtasis temporales —y al mismo tiempo momento de radical desapropiación, cuando lo que el sujeto es debe invertirse en inscripción ardiente; momento inaugural, de temor, en el que se da la resolución, o mejor, que no podría darse sin resolución; la resolución para la escritura, que es la resolución inaugural de la escritura en Thoth, su inventor, el escriba egipcio de Lezama. En esa resolución es donde Joyce se jugó la vida y donde, según Lezama, debe jugársela el lector.

1.3. *Juego y parricidio*

Si este escrito se planteó al principio examinar la relación entre inscripción necrológica y lectura auténtica, y si se va pudiendo ver que la lectura auténtica pasa necesariamente por el pasaje entre vida y muerte donde uno se juega la vida, quizás lo que falta es, para completar el planteamiento, cuestionar en cierta medida qué es lo que se entiende o puede entenderse aquí por juego, juego de lectura y escritura, el juego de

el juego del tercer lector que Lezama proyecta. «El suplemen-
...miento [*supplément*] de lectura o de escritura debe ser rigurosamente
...pero por la necesidad de un *juego*, signo al que hace falta acordar
...na de todos sus poderes» («Pharmacie» 72). Más allá de la simple
...n serio/no-serio, el juego es el campo donde en primer lugar se
...osibles tales distinciones; de hecho es el campo que las hace
...aunque luego la distinción inscrita en el campo mismo manifieste
...er parricida y haga olvidar su origen. En cuanto campo original,
...cano a un origen, el juego es siempre cosa de niños:

> El niño es inocencia y olvido, un nuevo comienzo, un juego, una
> ...ueda autopropulsada, un primer movimiento, un sí sagrado.
> Para el juego de la creación, hermanos míos, se necesita un sí sagrado:
> ...l espíritu quiere ahora su propio querer, y el que estaba perdido para el
> ...undo conquista ahora su propio mundo. (*Zarathustra* 27; 1.1)

...ítulo «Sobre lectura y escritura» de la Primera parte de *Así*
...*Zaratustra* insiste en ese curioso doblamiento del juego que
...que el juego inscriba dentro de sí tanto al juego como a su
...«El que escala las más altas montañas se ríe de todo juego
...omo de toda seriedad trágica» (45; 1.7). La risa es el sí sagrado
...para el juego de la creación, necesario al juego de la creación.
...no es quizás todavía un creador; más que un niño o un dios,
...aún la partera que guarda su nacimiento. Guardarlo implica
...u pasaje, abrir su pasaje, librarlo, no sólo de la trágica gravedad
...na el juego, también del juego que es sólo el descanso y la
...e la presunta madurez. Zaratustra quiere lectores que puedan
...él en las montañas altas, no esforzados alpinistas, lectores para
...«escritura en sangre», el cuerpo invertido en letra, sean, no
...grave ponderación, tampoco de mera distracción o recuperación
..., sino sobre todo lugar de pasaje para una nueva inocencia:
...y luz, ahora vuelo, ahora me veo a mí mismo por debajo de mí
...ora un dios baila a través de mí» (46; 1.7).
...altas montañas es para Nietzsche la empresa de la filosofía,
...onocida definición del prefacio de *Ecce Homo*: «La filosofía,
...entendido y vivido hasta ahora, significa vivir voluntariamente
...ielo y las altas montañas —buscando todo lo extraño y
...e de la existencia» (356; pref. 3). La relación de esta empresa
...na parte, la actividad de lectura y escritura y, por otra, la
...juego divino de la creación, que requiere el gran asentimiento,
...entemente destacada en la siguiente glosa de Heidegger:

> ...a creación misma... debe apreciarse según el modo en que se arroja
> ...nalmente en las profundidades del ser, y no en tanto simple
> ...zación de un individuo ni en tanto diversión destinada al gran

número. La facultad de apreciación, o sea la facultad de actuar según la medida dada por el ser, constituye por ella misma la creación suprema, pues ella prepara un estado apropiado para recibir la visita de los dioses, el asentimiento al ser. El superhombre es el hombre que da al ser un fundamento nuevo —en el rigor del saber y en el gran estilo de la creación. (*Nietzsche* 1: 254)

Montañas y abismos, visión teórica y salto a la profundidad en la que el dios nos recoge, juego riguroso y estilo de escritura: en todo ello se juega un pasaje aterrador, no desde la vida a la muerte, pero tampoco desde la muerte a la vida; más bien desde la mera oposición vida/muerte a la región del doble retorno de muerte en vida y de vida en muerte; como el juego que inscribe juego y seriedad, la vida que inscribe, escribe, vida y muerte; pasaje a esa región por la escritura: jugarse la vida, también en la lectura. La escritura, en tanto *pharmakon*, ostenta la doble apropiación muerte/vida, y por lo tanto apropia muerte y vida, es otra que ellas. ¿Dónde está el pasaje a esa otredad? ¿Qué permite augurarlo e inaugurarlo? La dificultad del pasaje debe consistir, consiste, en que no puede tratarse del pasaje a un opuesto —no de vida a muerte ni de padre a hijo ni de tierra a cielo. El pasaje es el pasaje enigmático, angustioso y angosto, de cualquiera de los términos que fundan la oposición, al abismo por debajo de todo fundamento; lugar de peligro, que sustenta el peso más pesado y que por su parte no tiene suelo ni se sustenta en nada; lugar que no pesa, al que pesa llegar. Lugar del *pharmakon*:

> esta reserva, por preceder a las diferencias como efectos, no tiene la simplicidad puntual de una *coincidentia oppositorum*. De este fondo la dialéctica viene a sacar sus filosofemas. El *pharmakon*, sin ser nada por sí mismo, los excede siempre como su fondo sin fondo. Se tiene siempre en reserva aunque no tenga ni profundidad fundamental ni última localidad. («Pharmacie» 146)

Es quizás tiempo de abandonar ciertos procedimientos retóricos acumulados hasta aquí: de dejar la pretensión de simple planteamiento, por ejemplo, y proceder hacia alguna forma de respuesta a lo planteado. Supuesto que todo acto de lectura se determina como tal sobre una escritura ya constituida, en la que sin embargo se inscribe; supuesto también que toda escritura guarda con respecto de toda lectura un exceso irreducible, que por su parte lee a la lectura e inscribe en ella su traza; supuesto, por lo tanto, que el fenómeno lectura/escritura guarda una diferencia que ninguno de los dos términos puede suprimir y, además, que esa diferencia parece decidirse, no en la oposición de los términos, sino en su mutua usurpación y emplazamiento, en una mutua apropiación que es siempre también una desapropiación del término ajeno —¿cómo entonces entender que haya lecturas más apropiadas que otras, «auténticas» en el sentido de que habrían establecido una mejor vindicación al título de

p... d interpretativa? La mejor propiedad de la lectura parece ser la
n... ...ipropiedad posible, el grado más elevado de apertura y escucha a
a... ...que nos solicita de la escritura. En cierto sentido podría decirse
q... ...ayor vida de la lectura supone la mayor muerte de la escritura: la
e... ...viva es en cambio aquella que opone su fuerza a la usurpación
le... ...esplazando toda tentativa de fijación —fijeza— de significados.

...do Lezama propone un tercer lector para Joyce propone sin duda
u... ...más allá de la alternativa propiedad/impropiedad. El tercer lector
n... ...ma su acción buscando una apropiación de significados, pero
ta... ...por cierto, buscando la desapropiación general del no-entender,
d... ...ciar de antemano al privilegio hermenéutico. El tercer lector,
m... ...se juega la vida en la lectura. Con la resolución de un escriba
eg... El escriba, doble de Thoth, conoce la doble condición del
ph... *n:* instrumento de vida y de muerte, indecidiblemente, inquie-
ta... ...te. Lo que para el dios solar Ammón debe ser condenado como
si... ...del recuerdo verdadero, como copia de la verdad, como
im... ...y carencia, eso es lo que recupera el escriba, arriesgándose a ser
an... ...como *pharmakos,* sobre la base de la necesidad del parricidio, la
ne... ...—peligrosa— de subvertir la verdad capital, la verdad solar, para
al... ...a hierofanía accesible.

...món es pura autopresencia, luz y verdad para sí mismo, reempla-
za... ...món —ser luna, ser hijo, ser escriba en la barca solar— no es
ap... ...r la ausencia, la sombra y la mentira. O más bien: es apostar
po... ...mbra en la medida en que ella nos protege de la misma alterna-
tiv... ...ncia/ausencia; es escapar de la luz, no hacia su contrario, sino a
la... ...donde no reinan los opuestos dictados por la luz; es pensar en
el... ...o, no como la insuficiencia representativa del modelo, sino como... ...anismo que en última instancia permite pensar al modelo como
fan... ...de sí mismo; parricidio cuya muerte del padre llega a desplazar
tod... ...oría paterna, a encriptarla quizás, como único medio de darse
un... ...nacimiento. Pero aquí, ya, la noción de «propiedad» está siempre... ...lo de la sombra, del simulacro, del juego filial: una propiedad
rob... ...padre, y así no propia propiedad.

...s egipcios» Lezama cuenta una historia curiosa, que ilustra bien
los... ...a los que se acerca el escriba caído o apresurado, el que no
asu... ...resolución su condición paralógica. Según Lezama, los sacerdotes
de... ...Trismegisto, la manifestación alejandrina de Thoth, habrían
olvi... ...u propia relación parricida con respecto de Thoth, y habrían
inte... ...mantener en la muerte las inscripciones sagradas, en lugar de
abri... ...retorno de la vida: «¿Qué caída engendró en el egipcio ese
con... ...e resguardar, de vigilar un tesoro, no de acrecerlo? De guardar
lo q... ...vez fue descifrado, evitando la transmisión y coro de lo leído»
(876... ...es para Lezama el origen minado del Tarot como empresa
aug... ...lectura y escritura: origen minado porque no parte de una

decisión parricida, sino que quiere conservar al padre —«la gran hierofanía»— en la forma menor de la sumisión y el acatamiento: «un tránsito entre la gran hierofanía y la vida cotidiana, pues el pueblo no iniciado tenía al menos que conocer las posibilidades de la iniciación, el porqué de la iniciación sacerdotal tenía tan excepcional y reverencial acatamiento [sic]» (886). En la lectura/escritura del Tarot, para Lezama, hay un reto insuficiente, consistente en «tomar por aliados a las fuerzas infernales», aceptar al dios de la sombra como padre nuevo:

> Comienza el endemoniado aceptando la amplitud de un reto icárico..., trágicamente se abraza al símbolo como posibilidad de esas barajas, en el que concibe como una gracia infernal... El fervor de su *daimon* va decayendo al comprender el pequeño símbolo que entreabre en un espacio desmesuradamente abierto... Lo icárico al menos lo hacía caer sobre el mar, pero el infierno de la finitud lo desarticula sobre la tierra y así se extingue el endemoniado. Retó por la imagen a los dioses, pero... los dioses lo abruman y lo burlan, expiando el temeroso... el abandono del misterio de su destino. (888-89)

Jugarse la vida en la lectura, o en la escritura, es no abandonar el propio misterio, que es también el misterio impropio, el misterio de nuestro origen. No abandonarlo: no basta el parricidio, hay que permanecer en él, queriendo por lo tanto también su cese. Condición paralógica: locura.

> Este parricidio, que abre el juego de la diferencia y de la escritura, es una decisión pavorosa... Hacen falta fuerzas sobrehumanas. Y hace falta arriesgar la locura o pasar por loco en la sociedad sabia y sensata de los hijos agradecidos... Este parricidio en todo caso será tan decisivo, resolutivo y temible como una pena capital... Se juega uno... su cabeza al mismo tiempo que al cabeza de familia [fundador, *chef*]. («Pharmacie» 190-91)

La decisión resolutiva es en Stephen resolución inaugural, «intense instant of imagination» en el que el fantasma del padre deja paso a la imagen de su hijo. Para Stephen se identifica con la decisión de irse de la casa paterna y hacerse escritor. O es más bien que hacerse escritor, en el sentido de Stephen, no es distinguible de abandonar la casa «de oración y prudencia». Ese errar de pájaro es también la escritura celeste de la poesía:

> A soft liquid joy flowed through the words where the soft long vowels hurtled noiselessly and fell away, lapping and flowing back and ever shaking the white bells of their waves in mute chime and mute peal and soft low swooning cry; and he felt that the augury he had sought in the wheeling darting birds and in the pale space of sky above him had come forth from his heart like a bird from a turret quietly and swiftly. (*Portrait* 225-26)

(Una suave alegría líquida fluyó por las palabras donde las largas y suaves vocales chocaron sin ruido y cayeron, aleteando y fluyendo de nuevo y siempre agitando las campanas blancas de sus ondas en tañido mudo y mudo repique y grito suave, bajo y desfalleciente; y sintió que el augurio que había buscado en los pájaros girantes y flechados y en el pálido espacio de cielo por encima de él había salido de su corazón·como un pájaro desde una torre calladamente y velozmente.)

...se lector es también caer en ese «instante intenso de imaginación» ...se inaugura la apropiación mediante el parricidio; un parricidio, ...mos, resolutivo pero nunca resuelto, consumado sin cesar, nunca ...vivido en el instante de su propio retorno indefinido, parricidio ...la escritura misma devuelve su propia muerte, parricidio que no ...ma instancia, otorgador de un nuevo origen, sino sólo continuo ...iento del origen; más que liquidación del padre, permanente ...n de la paternidad como lo que sólo puede conservarse en su ...o mejor, en su diferencia con respecto de la constituida en la ...naugural de la lectura.

...lectura como escritura, entonces, se constituyen en la misma re-...un origen cuya entidad —¿puede usarse ahora tal palabra?— no ...a de presencia, pero tampoco de ausencia. Más allá de ambas, o ...gen, pero englobándolas; englobamiento que no puede por lo de-...tendido como mero fundamento o suelo común, porque el pa-...precisamente el atentado contra el fundamento. Es una empresa ...n ese origen que no puede nombrarse se da paralógicamente el ...s apropiaciones. La escritura auténtica, la lectura auténtica, no ...es precisamente aquellas que se apropian o desapropian recípro-...l espejo de la des/apropiación está más bien tendido en las ...l pasaje entre lectura/escritura y su origen innominado. Las ...del sujeto son así gastos sin fondo, que no aspiran a la ...n lucrativa del capital aumentado. Lo que des/apropia no es el ...o algo otro en lo que el sujeto inaugura: horizonte previo, ...erido y difiriente.

...Si la escritura es *inaugural,* no es porque ella cree, sino por una cierta ...tad absoluta de decir, de hacer surgir el ya-ahí en su signo, de tomar ...augurios. Libertad de respuesta que reconoce como solo horizonte el ...do-historia y la palabra que no puede sino decir: el ser ha siempre ya ...enzado. (Derrida, «Force» 23)

...agen imprecisa de Joyce «mother Dana» es la divinidad mater-...y desteje nuestros cuerpos. ¿Quién es su figura en la escritura? ...ecir que «mother Dana» es la región en la que la batalla parri-...—la diferencia materna, y así un posible amparo del parri-...o en el que todos los desplazamientos filiales toman lugar. El artista lucharía con su estilo —paraguas, vara de augur, caduceo hermético— contra el padre, en el campo de duelo de la madre. La escena de la escritura aparece así como la reproducción de la historia edípica. Sería demasiado fácil. La dificultad de decir algo otro es en cambio la misma que plantea el intento de salir del pensamiento de opuestos: sol y luna, juego y seriedad, dentro y fuera, padre y madre. ¿Puede pensarse en un parricidio doble, de padre y madre, parricidio mantenido como recuperación de ambos principios desde la frontera que los niega como tales, y al negarlos les reconoce, les da, fundamento? La escritura, la lectura, inauguran la desolada apropiación de la diferencia también como abismo de la diferenciación paternal, sexual. Pero ¿qué apropia entonces? ¿Qué (se) apropia en la escritura, cuál es el origen o el fin que no es ni materno, ni paterno, ni ambos?[3]

2. Diferencia interpretativa. Lectura auténtica y doble estructura de la interpretación

Lo problemático del concepto de autenticidad de lectura —la estructura de la des/apropiación— debe permanecer activo en la integridad de sus efectos al considerarse el concepto paralelo de interpretación. Por supuesto que no hay lectura sin interpretación, y tampoco es posible la interpretación sin lectura. Pero lectura e interpretación se distinguen quizá como se distingue lo implícito de lo explícito. Una interpretación no se puede reconocer como tal sin cierto grado de explicitud, obtenible precisamente como efecto de una lectura. La diferencia entre lectura e interpretación da margen al hecho de que sea perfectamente posible explicitar de una manera errónea, inapropiada. Porque explicitar lo implícito, en el terreno interpretativo, no es nunca un procedimiento meramente analítico, como quizás lo sea en matemáticas. La explicitación hermenéutica no depende, no está absolutamente contenida en el instante inaugural de la lectura, aunque de él derive su fuerza posible porque en él encuentra origen. Pero ese origen marca el principio de otra temporalidad, de una temporalidad no instantánea, de una historia.

La interpretación tiene historia no sólo porque necesita tiempo para desenvolverse sino porque ese desarrollo está determinado a su vez por otra historia, la Historia. Explicitar una interpretación es siempre responder a preguntas predeterminadas por la tradición, también formular preguntas

---

[3] Reaparece la cuestión de la diferencia sexual. Remito a los estudios de la diferencia sexual en el pensamiento de Nietzsche, de Irigaray, Derrida *(Eperons)* y Krell. Derrida, según «Geschlecht» 430, n. 1, trabaja en un estudio amplio de la diferencia sexual en Heidegger. Ver también la entrevista con Derrida de McDonald, y otras referencias interesantes en Gallop.

que quedarán determinadas por la historia futura; preguntas y
codeterminadas también por la especificidad de la lectura, por
o menor des/apropiación a la escritura en el juego de la lectura.
uanto codeterminadas por ella, no son idénticas a ella. Es posible
una apropiación o autenticidad específicas de la interpretación.
iación interpretativa es una apropiación histórica, en el sentido
ólo la historia le da campo a la apropiación. Por otro lado, sin
ón interpretativa no habría historia. La apropiación de significado
po es la historia, y también es la interpretación. Interpretación
ria e historia de la interpretación: fenómenos copertenecientes,
pensar y el ser en la máxima de Parménides. No pueden
pero no por ello son idénticos. No pueden igualarse, pero no
stán desvinculados. Como copertenecientes, pensar y ser son
lo propio del otro. También interpretación e historia se apro-
uamente y, apropiándose, simultáneamente se desapropian. La
dad de interpretación e historia vuelve a situarnos sobre funda-
ente: la historia desplaza a la interpretación como su fundamento
a. La carencia de fundamento es el abismo. Sólo en este abismo
se el pensar de la apropiación interpretativa.
enaza de este abismo no es sólo la caída, sino también su con-
r da miedo. El pensar apropiado sobre el abismo, pensar de la
d abismal, puede querer dominar su temor, pactar con el mie-
da su carencia de fundamento y se asegura en ella, si pone el
u favor o se hace su aliado, entonces instaurará una nueva
ciego a la efectividad histórica, convocará el terror anárquico y
apitar todo principio de interpretación como usurpador; o bien,
ilegitimidad de su propio poder, se declarará príncipe y querrá
la autoridad a la suya. Ese es el peligro, uno en su fundamento,
iación que olvida que ella misma es la apropiada: la apropiación
eludir ser sólo posible como des/apropiación.
e de Joyce» no es sólo un ensayo sobre la lectura. En la medida
zama permite que la historia afecte a la lectura, «Muerte de
a como tema la apropiación interpretativa. El tercer lector de
ctor «auténtico» de Joyce, es también el lector en el que cobra
apropiación histórica, apropiada a la historia, de la obra de
orma de lectura deberá dar posibilidad a una explicitación que
por incorporarla, la estructura doble de la interpretación en la
el primer lector y el lector segundo.
rdo con su estilo, Lezama se guarda mucho de ofrecer una
claramente delimitable entre primera y segunda lectura. El
je relevante es el siguiente:

Un tipo especial de lector se obstinaba en crear un Joyce especial,
dolo hermano mayor del surrealismo, revestido de la muralla del

conocimiento de todas las lenguas románicas, griego y latín, babélico, imposible, babilónico, rabelesiano, continuador de simbolistas menores. Hoy vamos viendo que aquella obra se hizo como se hacen todas las obras: la lucha adolescente entre el sexo y el dogma, el ritmo de la voz, y cierta heterodoxia superficial que va en busca de una ortodoxia central. Un nuevo tipo de lector reclamará enseguida para Joyce la delicia y la seguridad de sus fuentes. (237)

La indeterminación de la diferencia que establece Lezama puede acabar resolviéndose como sobredeterminación. Lezama oscurece revistiendo de complejidad lo que en esquema descansa sobre la alternativa clásica de extrañeza y familiaridad, que está en el texto desplazada sobre al menos tres pares de opuestos: especialidad/normalidad, sexo/dogma, heterodoxia/ortodoxia. Estas alternativas son también reformulables, pero no sencillamente, sobre el eje innovación/tradición, o sobre el eje lenguaje/historia.

En esencia, los polos de las alternativas lezamianas adquieren posiciones a uno y otro lado de una articulación que Gadamer señala como el lugar de la apropiación hermenéutica: «La posición entre extrañeza y familiaridad que lo que se transmite tiene para nosotros es el "entre" entre la objetividad separada, históricamente intencionada, y la pertenencia a una tradición. En este "entre" está el verdadero lugar de la hermenéutica» (*Wahrheit* 279). El lector primero o «especial» de Joyce tiene ojos para la intencionalidad histórica específica, la innovación joyceana, interpretada como un gesto del lenguaje de carácter rebelde, deseante, heterodoxo. Babel y Babilonia se funden en la apuesta por un festival liberador que es ciertamente lo propio de la modernidad occidental, del simbolismo al surrealismo. El segundo tipo de lector es el lector que se deleita en la seguridad de las fuentes —que reconoce lo que de tradición hay en toda innovación, que en su penetración de lo nuevo lo sobrepasa para recaer en el *topos* privilegiado que constituye la centralidad, y así la ortodoxia, de Occidente. Las dos lecturas son, de entrada, consecuencias de cierta resolución a favor de uno u otro polo del dilema hermenéutico. Se dibujan, pues, sobre una interpretación de la historia, ya para subrayar su carácter cambiante, dinámico, o su carácter fundamental, estático. Pero entre uno y otro polo hay un pasaje, el entre gadameriano, en el que se sitúa Lezama para advertir, precisamente, de la inocuidad de la polarización como categoría estática.

La relación entre lo estático y lo dinámico es, ella misma, una relación dinámica. Hay lucha entre sexo y dogma, y heterodoxia que busca la ortodoxia. La conflagración interpretativa se resuelve de manera paradójica: resulta que la auténtica, «central» ortodoxia está del lado, no del dogma, sino de la lucha entre el dogma y el ángel sexual. La auténtica ortodoxia histórica es en sí una sucesión de heterodoxias. Y el estatismo no es sino el juego tenso de lo dinámico que nunca alcanza a pararse.

terpretación, como orientada teleológicamente a resolverse en sí
iende también indefinidamente a su propio acabamiento, y así
su estructura la tensión entre lo dinámico y lo estático sobre la
ja. La relación entre lo dinámico y lo estático como polos del eje
ítico funda la actividad hermenéutica porque la contiene. Al
empo, sin embargo, la actividad hermenéutica es la que primero
los polos de su constitución, la que les da lugar, la que los trae
sencia. No solamente depende de ellos, sino que los hace
tes de sí al darles un quicio de articulación, sin el que la relación
osible. Esta es la estructura doble —doblada— de la interpretación:
dinámica que tiende hacia lo estático por medio de la internali-
el conflicto entre lo estático y lo dinámico. La relación que
tá contenida, es a su vez madre e hija, padre e hijo: estructura
obre el abismo del continuo desplazamiento de fundamentos.
a conoce bien ese siniestro doblamiento de la interpretación en
ctor, porque lo conoce como doblamiento de la creación en
critor. El escritor es un intérprete del mundo como el intérprete
r de mundo: hasta ahí llega la indecidibilidad del conflicto
inámico. El capítulo undécimo de *Paradiso* lo tematiza como
esencial de las personalidades de Fronesis y Cemí: «Tanto a
omo a Cemí, su *sympathos* por la sensibilidad creadora contem-
sus dos fases, de reavivamiento del pasado como de búsqueda
conocido, les era muy cercano» (350). El intelectual ha de ser «el
de lo viviente creador y acusador de lo amortajado en bloques
que todavía osa fluir en el río de lo temporal» (350). Por eso son
es tanto la primera como la segunda lectura: en la reflexión de
, recuperación de la ortodoxia, debe haber «furias, rectificaciones»,
nto («Muerte» 237). Por otro lado, la «búsqueda de un descono-
uede darse sino en la «decisión misteriosa» de sufrir el riesgo de
as lecturas del pasado creador» (*Paradiso* 350).
decisiva profundidad histórica de la innovación, su pertenencia
no, y el peligro que conlleva entrar en ella, pasaje de vida a
e muerte a vida, doblez sin modelo ni fundamento, recusación
esencia estable, todo eso es señalado en estas líneas:

Lo que es tan sólo novedad se extingue en formas elementales. Pero
to Fronesis como Cemí sabían que lo verídico nuevo es una fatalidad,
irrecusable cumplimiento. La profundidad relacionable entre la espera
l llamado, en los más grandes creadores contemporáneos, se cumple
una anunciación que les avisa que son naturaleza que tiene que crecer
ta sobrenaturaleza, que es derivación que tiene que lograr de nuevo
creadora. Naturaleza que tiene que alcanzar sobrenaturaleza y
tranaturaleza, avanzar retrocediendo y retroceder avanzando, salvándose
un acecho pero vislumbrando un peligro mayor, entre lo germinativo

y lo tanático, estar siempre escuchando, acariciar y despedirse, irrumpir y ofrecer una superficie reconocible que lo ciega. (350)

El *sympathos* de Fronesis y Cemí es el de su sometimiento a la fatalidad histórica. En la historia se manifiesta la necesidad de cumplimiento de lo verídico nuevo, y hacerse creador es abrirse, en la espera, a esa llamada de lo propio, a lo propio. La anunciación es ciertamente resolución germinativa y tanática. Lo que quiera que (se) anuncia es lo apropiado/apropiante, que apropia al creador hasta sobre y contranaturaleza, y así lo desapropia de sí mismo. La tercera lectura, como la escritura auténtica, es un jugar la vida en la historia, interpretar los signos, como el augur, entre germinación y muerte, doblando muerte y germinación. La anunciación, que insemina, da nueva vida, y así aniquila —o repite— la propia.

«Muerte de Joyce» da todavía otras líneas relevantes a las tres lecturas, en las que hay una nueva intimación de la esencia del pasaje a la interpretación histórica:

> Se le añade [a Joyce] su artesanía, sus furias, pero separándole siempre la artesanía del modo, y la furia, que tiene que pegarse con sustancia, de la ironía filológica, que quisiera definir la poesía como la pervivencia del tipo fonético por la vitalidad interna del gesto vocálico que la integra. ¡Cuidado con la filología! Que Joyce fue también por otros caminos pruébalo aquel delicioso *Portrait* en que hay una simultaneidad entre el Eros y su encarnación y el artista que ve surgir de ese apetito la forma. (237-38)

Este texto no tiene mayor facilidad convencional que el antes citado. En él la primera lectura parece asimilarse a la lectura filológica, lectura irónica o acorde con la ironía de la escritura. La ironía ejerce, ciertamente, su función tropológica, de desplazamiento continuo del fundamento de la lectura segunda, la que reconoce fondo/forma como unidad vital de la obra, separándola siempre del gesto filológico que lleva tal unidad sobre su abismo.

Aquí primera y segunda lecturas están ya en sí dobladas: la primera lectura, dinámica, insiste en la pervivencia de la poesía por su mera vitalidad fonética, que Lezama llamará en otro contexto «cantidad» poética. La segunda lectura, estática, incluye sin embargo una furia rectificadora de lo tradicional, en la que se encuentra la fuerza reavivadora del pasado. La unión de fondo y forma separada todavía de la cantidad filológica es lo que Lezama concibe como «imagen» poética. Pero cantidad e imagen, que las dos lecturas se esfuerzan por aislar, por mantener aparte, convergen en ese tercer camino de Joyce, que en el *Portrait* establece «una simultaneidad entre el Eros y su encarnación y el artista que ve surgir de ese apetito la forma». La encarnación del apetito es la apropiación histórica, y por ello determina la esencia propia de la poesía, y por ende

de [...] erpretación. La encarnación del apetito es el encuentro de
ca[...] imagen en la poesía.

de [...] érese la definición de poesía dada en el mismo capítulo undécimo
no [...]o: «búsqueda verbal de finalidad desconocida» (377). Desconocida
la i[...]a inexistente, aunque tampoco exactamente su contrario. Que
po[...]d sea desconocida insiste en el elemento abismal de la búsqueda
Bu[...]or los caminos de una apropiación que no puede fijar su sentido.
una[...]siempre una actividad desconocida, la poesía es necesariamente
elu[...]dad hipertélica, situada siempre más allá de la finalidad que la
deb[...] será más acá. Para no equivocarnos con la metáfora espacial
neg[...]izá decirse que la hipertelia, la transfinalidad, por lo tanto no la
des[...]de finalidad, es la difícil finalidad poética. Necesariamente
con[...]a, porque conocer la finalidad es simultáneamente destruirla
me[...]sfinal. Pero en la hipertelia poética, o de ella, se da lo genuina-
[...]io poético: la hipertelia apropia la poesía.
cici[...]úsqueda hipertélica se alían cantidad e imagen: Cemí, en el ejer-
[...]poesía, va

[...]uiriendo la ambivalencia entre el espacio gnóstico, el que expresa, el
[...] conoce, el de la diferencia de densidad que se contrae para parir, y
[...]antidad, que en unidad de tiempo reaviva la mirada, el carácter
[...]ado de lo que en un instante pasa de la visión que ondula a la mirada
[...]se fija. Espacio gnóstico, árbol, hombre, ciudad, agrupamientos
[...]ciales donde el hombre es el punto medio entre naturaleza y
[...]renaturaleza. La gracia de la mirada, aliada con la cantidad encarnada
[...]l tiempo... va evaporando un sentido para el agrupamiento espacial.
[...] evaporación coincidente, ascendente también, como si le llevase un
[...]enaje al cielo paternal. Otras veces esa evaporación terrenal se
[...]ntraba un camino inverso con el aliento, punto también que descen-
[...]e los dioses a las inmensas extensiones de la nocturna. (377)

[...]do de la expresión poética es evaporación ascendente —tie-
rra/c[...]o descendente —cielo/tierra. En todo caso un sentido nunca
defin[...]unca definitivamente estático, siempre en trance de evaporación.
Pero [...]a esa duplicidad tropológica, hacia arriba o hacia abajo, en la
que [...]re tiene una función de punto medio, ni naturaleza ni sobre-
natu[...] Lezama también se refiere explícitamente al carácter sagrado
de es[...]piación que lleva de la «visión que ondula» (imagen) a la «mirada [...]fija» (imagen con cantidad). Lezama lleva aquí a cabo un diálogo [...] teoría poética de Platón que le sirve para exponer su propia
conce[...]

U[...]ginas antes de la que ahora nos ocupa el narrador de *Paradiso*
menc[...] relación de Cemí con el pensador griego: «Al igual que
Fron[...] apasionada lectura de Platón lo había llevado de la mano a
polar[...]cultura» (349). Como ya se indicó la «apasionada lectura del

pasado creador» es en *Paradiso* un momento esencial de la «decisión misteriosa» de «lanzarse a perseguir elementos creadores aún no configurados» (350). El texto menciona el *Fedro* y el *Fedón*, el *Parménides*, el *Cármides*, el *Timeo* y el *Simposio*, pero no uno de los llamados diálogos menores, el *Ion*, que a mi juicio tiene una presencia grave en la formulación final de la teoría poética de Cemí.

Sócrates interroga al rapsoda Ion, intérprete de Homero, sobre su arte interpretativo. En cierto momento Sócrates interrumpe la interrogación y explica su propio entendimiento del proceso poético, asimilándolo a un poder de origen divino que se transmite y compele a los hombres como la piedra-imán magnetiza anillos de hierro. Ion, al interpretar a Homero, es de hecho «intérprete de un intérprete» (535 a), pues la palabra de Homero, en su condición inspirada, adviene a él de algún dios. «Es la deidad la que, a lo largo de toda la serie [de intérpretes], arrastra el espíritu de los hombres a donde quiera que desea, transmitiendo la fuerza de atracción de unos a otros... Lo llamamos estar "poseído"» (*Io* 536 a). Platón señala explícitamente que la apropiación del poeta —del intérprete— por el dios es al mismo tiempo un proceso de desapropiación, enajenamiento, comparable al que disfrutan los coribantes:

> Una vez los poetas entran en la armonía y el ritmo son tomados por el transporte báquico y son poseídos —igual que las bacantes, cuando están poseídas, extraen leche y miel de los ríos, pero no cuando están en sus sentidos. Así trabaja el espíritu de los poetas... ¿No nos dicen acaso que nos traen sus melodías... como las abejas miel...? ...pues el poeta es una cosa ligera y alada, y sagrada, y nunca es capaz de componer hasta que ha sido inspirado y está fuera de sí y su razón ya no está en él. En tanto tenga la razón en su posesión ningún hombre es capaz de hacer poesía o de profetizar. (534 a-b)

Interesa sobre todo notar la doble presentación del poeta bajo los símbolos de la bacante y de la abeja donadora de miel, cosa ligera y alada y sagrada que recompensa el deseo. No se persigue en el texto platónico esta duplicidad —no en el *Ion*— y de hecho cabe sostener que constituye una peculiar vacilación del texto, una ruptura de la lógica textual hilvanada mediante un desplazamiento metafórico: las bacantes extraen miel de los ríos como las abejas la producen. Vacilación o no, para Platón la desapropiación del entusiasmo poético produce el don de la poesía. El poeta, enajenado en el rapto y en virtud de su enajenación productiva, es un punto medio entre naturaleza y sobrenaturaleza, como la abeja, artífice entre los animales, doméstica, apropiada por el hombre, contestadora de la animalidad. Sin embargo, de la radical extrañeza y enajenación dionisíaca a la domesticidad familiar apícola hay un abismo que Platón no parece esforzarse en soslayar.

preocupado por los problemas de la imagen y de la cantidad, [...] una vitrina dos estatuillas y las adquiere. Una de las estatuillas [...] cante, y la otra era «un Cupido, cupidón, cupiditas, significaba [...]uien la ausencia de arco... trocaba en un ángel» (378). Para Pla[...]za báquica era un producto de armonía y ritmo, regido por pro[...]aritméticas, como había establecido el pitagorismo. La bacante [...]a cantidad poética. El Cupido/ángel deseante, que contiene la [...]tera más allá de toda venda y de toda ceguera, es imagen de la [...]ncreción del espacio gnóstico, espacio del conocimiento. Está [...] clara, como paso del deseo al rapto dionisíaco, la definición de [...]ue ya se ha visto: «la cantidad, que en unidad de tiempo reaviva [...] el carácter sagrado de lo que en un instante pasa de la visión [...]a a la mirada que se fija» (377).

[...]l del deseo es también la «cosa ligera y alada y sagrada», la abeja [...] *Paradiso* conoce los dos momentos de la explicación socrática [...]rados. Intenta anillarlos mediante una tercera imagen. Tras ad[...]nte y ángel, Cemí los sitúa en una vitrina, a ambos lados de una [...]lata»:

> Entonces comprendió que la desazón caótica... se remansaba... Parecía [...] el ángel corría y saltaba sin marearse por el círculo de los bordes de [...] copa, y que la bacante... se hundía hasta el pie de la copa, donde el [...]gel intentaba recuperarla para los juegos de la luz redonda por los [...]rdes de la copa. (379)

[...] círculo y en la semiesfericidad se produce el instante de la [...]ión, *entre* bacante y ángel, cantidad e imagen. La bacante, al [...] números de la danza, encarna al dios siendo apropiada por él. El [...]a en la bacante, rapto extático. Esa es la tercera posibilidad, [...]l círculo de pasaje entre imagen y cantidad, entre fondo/forma [...] ológica, entre primera y segunda lecturas —y escrituras. En ella [...]e lo que logró Joyce en el *Portrait:* «una simultaneidad entre el [...]encarnación y el artista que ve surgir de ese apetito la forma».

[...]e estructura de la interpretación queda así confirmada. No se [...]ue haya dos formas de la interpretación, una empeñada en [...]el pasado, vivida como nostalgia de la presencia ida; la otra [...]n afirmar el futuro, los valores afirmativos de la creación. Se [...]ue, dentro de ambas formas de la interpretación, se da siempre [...]iento —reavivamiento del pasado y enterramiento del futuro— [...]ra la perpetua recurrencia de la una en la otra y de la otra en [...]l recurrencia anuncia la falta de fundamento estable para la [...]ión —su perpetuo desplazamiento, su abismo. Pero anuncia [...] necesidad que la interpretación tiene de encarar ese abismo. [...]podía suponer aún que había una piedra-imán en el origen de la [...]acía posible no sólo la serie misma sino también su explicación absoluta: un dios. Pero el dios ha permanecido siempre en el silencio y el silencio cubre al dios. Silencio activo, productivo, que engendra la palabra poética, afirmación sobre el silencio. ¿Cómo pensar ese parto imposible?

Bar   and: «La faz barroca». Trad. por Pere Gimferrer. *De donde son los cantantes.*
           ro Sarduy. 2.ª ed. 1980. 3-6.

Bisl   n: *Joyce's Book of the Dark. Finnegans Wake.* Madison: U of Wisconsin P,

Der   ques: «La différance». *Marges de la philosophie.* París: Minuit, 1972. 3-29.

—   s. *Les styles de Nietzsche.* París: Flammarion, 1978.

—   et signification». *L'écriture et la différence.* París: Seuil, 1967. 9-49.

—   lecht. Différence sexuelle, différence ontologique». *Martin Heidegger.* Michael
           L'Herne. París: L'Herne, 1983. 419-30.

—   rammatologie. París: Minuit, 1967.

—   g On: Border Lines». *Deconstruction and Criticism.* Por Harold Bloom, Paul
           Jacques Derrida, Geoffrey Hartman, J. Hillis Miller. Nueva York: Seabury,
           76.

—   le de l'autre. Otobiographies, transferts, traductions. Textes et débats avec
           errida. Claude Lévesque y Christie V. McDonald eds. Montréal: VLB, 1982.

—   et grammé». *Marges de la philosophie.* 31-78.

—   armacie de Platon». *La dissémination.* París: Seuil, 1972. 69-198.

—   n apocalyptique adopté naguère en philosophie. París: Galilée, 1982.

Freu   nd: «Das Unheimliche». Vol. 12 de *Gesammelte Werke.* Londres: Imago,
           1   -68. Cito la trad. esp. de Luis López Ballesteros. «Lo siniestro». Vol. 3 de
           C   pletas. Por Freud. Madrid: Biblioteca Nueva, 1973. 2483-505.

—   des Lustprinzip. Vol. 13 de *Gesammelte Werke.* Londres: Imago, 1940. 1-69.
           C   d. esp., *Más allá del principio del placer.* Vol; 3 de *Obras completas.* 2507-41.

Fuer   os: *Terra nostra.* Barcelona: Seix Barral, 1977.

Gad   ans-Georg: «Philosophie und Literatur». *Was ist Literatur?* Por Gadamer,
           H   uhn y Gerhard Funke. Vol. 11 de *Phänomenologische Forschungen.* Freiburg-
           M   arl Alber, 1981. 18-45.

—   it und Methode. Tubinga: JCB Mohr-Paul Siebeck, 1965.

—   oblematik des Selbstverständnisses». Vol. 1 de *Kleine Schriften.* Tubinga: JCB
           M   Siebeck, 1976. 70-81.

Gallo   «Reading the Mother Tongue: Psychoanalytic Feminist Criticism». *Critical*
           I   , n.º 2 (1987): 314-29.

Gonz   hevarría, Roberto: «BdeORridaGes (Borges y Derrida)». *Isla a su vuelo*
           f   adrid: José Porrúa Turanzas, 1983. 205-15.

Grav   t: *The Greek Myths.* 2 vols. Harmondsworth: Penguin, 1984.

Hart   offrey, H.: *Saving the Text. Literature/Derrida/Philosophy.* Baltimore: Johns
           H   JP, 1981.

Hege   W. F.: *Grundlinien der Philosophie des Rechts.* Vol. 7 de *Werke.* Frankfurt:
           S   1970.

—   haft der Logik. Vols. 5 y 6 de *Werke.* 1969.

Heid   artin: «Aus einem Gespräch von der Sprache». *Unterwegs der Sprache.* Vol.
           12   mtausgabe. Frankfurt: Vittorio Klostermann, 1985. 81-146.

—   ber den Humanismus». *Wegmarken.* Vol. 9 de *Gesamtausgabe.* Frankfurt:
           V   lostermann, 1976. 313-64.

——: «Die Frage nach der Technik». Vol 1 de *Vorträge und Aufsätze*. Pfullingen: Günther Neske, 1954. 5-36.

——: «Logos (Heraklit, Fragment B 50)». Vol. 3 de *Vorträge und Aufsätze*. 3-47.

——: *Nietzsche*. 2 vols. Pfullingen: Günther Neske, 1961.

——: «Die Onto-Theo-Logische Verfassung der Metaphysik». *Identität und Differenz*. Pfullingen: Günther Neske, 1957. 35-76.

——: «Der Satz der Identität». *Identität und Differenz*. 11-34.

——: *Sein und Zeit*. Vol. 2 de *Gesamtausgabe*. Frankfurt: Vittorio Klostermann, 1977.

——: «Die Sprache im Gedicht». *Unterwegs*. 31-78.

——: «Überwindung der Metaphysik». Vol. 1 de *Vorträge und Aufsätze*. 63-91.

——: «Der Ursprung des Kunstwerkes». *Holzwege*. Frankfurt: Vittorio Klostermann, 1957. 7-68.

——: «Vom Wesen des Grundes». *Wegmarken*. 123-75.

——: «Vom Wesen des Wahrheit». *Wegmarken*. 177-202.

——: «Wissenschaft und Besinnung». Vol. 1 de *Vorträge und Aufsätze*. 37-62.

——: «Zur Seinsfrage». *Wegmarken*. 385-426.

Hölderlin, Friedrich: «Patmos (1802)». *Selected verse*. Michael Hamburger ed. Londres: Anvil Press Poetry, 1986. 193-203.

Innes, Mary N.: Introducción y traducción. *The Metamorphoses of Ovid*. Por Ovidio. Hardmonsworth: Penguin, 1955.

Irigaray, Luce: *Amante marine de Friedrich Nietzsche*. París: Minuit, 1980.

Joyce, James: *Finnegans Wake*. Harmondsworth: Penguin, 1980.

——: *A Portrait of the Artist as a Young Man*. Harmondsworth: Penguin, 1982.

——: *Ulyses*: Texto corregido. H. W. Gabler, W. Steppe y C. Melchior eds. New York: Vintage, 1986.

Kant, Immanuel: *Kritik der Urteilskraft*. Vol. 5 de *Kant's gesammelte Schriften*. Königlich Preukischen Akademie der Wissenschaften. Berlín: Georg Reimer, 1913. 165-485.

Krell, David Farrell: *Postponements. Woman, Sensuality and Death in Nietzsche*. Bloomington: Indiana UP, 1986.

Lacan, Jacques: «Le stade du miroir comme formateur de la fonction du Je». Vol. 1 de *Ecrits*. París: Seuil, 1966. 89-109.

Laplanche, Jean y Jean-Pierre Pontalis: *Vocabulaire de la psychanalise*. París: PUF, 1962.

Lezama Lima, José: «Los egipcios». Vol. 2 de *Obras completas*. México: Aguilar, 1977. 864-90.

——: «Muerte de Joyce». Vol. 2 de *Obras completas*. 236-38.

——: *Paradiso*. Madrid: Alianza, 1983.

Liddell, Henry George y Robert Scott. *A Greek-English Lexicon*. 2.ª ed. revisada por Henry Stuart Jones. Oxford: Clarendon, 1925-40.

De Man, Paul: «The Resistance to Theory». *The Resistance to Theory*. Prefacio de Wlad Godzich. Minneapolis: U of Minnesota P, 1986. 5-20.

McDonald, Christie V. y Jacques Derrida. «Choreographies». *Diacritics* 12 (verano 1982): 66-76.

McMahon, Thomas. *McKay's Bees*. 1979. Nueva York: Harper & Row, 1986.

Nietzsche, Friedrich, W.: *Also sprach Zarathustra*. Vol. 6.1 de *Nietzsche Werke*. Giorgio Colli y Mazzino Montinari eds. Berlín: Walter de Gruyter, 1968.

——: *Ecce Homo*. Vol. 6.3 de *Nietzsche Werke*. 1969. 253-372.

——: *Die fröhliche Wissenschaft*. Vol. 5.2 de *Nietzsche Werke*. 1973. 11-335.

——: *Die Geburt der Tragödie*. Vol. 3 de *Gesammelte Werke*. Munich: Musarion, 1920. 3-165.

——: *Götzen-Dämmerung*. Vol. 7.3 de *Nietzsche Werke*. 1960. 49-157.

——: *Jenseits von Gut und Böse*. Vol. 6.2 de *Nietzsche Werke*. 1968. 1-255.

——: *Nachgelassene Fragmente. Herbst 1885 bis Anfang Januar 1889*. Vols. 8.1-3 de *Nietzsche Werke*. 1970.

Ovi   morphoses. W. S. Anderson ed. Leipzig: Teubner, 1977.

Plat   ol. 7 de *Platonis Opera*. John Burnet ed. Oxford: Clarendon Press, 1903. 530-

———   *us*. Vol. 2 de *Platonis Opera*. 1901. 223-95.

Sarc   ro: *De donde son los cantantes*. 2.ª ed. Barcelona: Seix Barral, 1980. (1.ª ed.,
              oaquín Mortiz, 1967).

———   *ulación*. Caracas: Monte Avila, 1982.

Schi   Reiner: *Le principe d'anarchie. Heidegger et la question de l'agir*. París: Seuil,

Stan   Joan: Introducción, traducción y notas. *The End of Philosophy*. Por Martin
              . Nueva York: Harper & Row, 1973.

Wat   ohen H.: «Abysses». *Hermeneutics & Deconstruction*. Hugh J. Silverman y
              eds. Nueva York: State U of New York P, 1985.

Ín